GUTE FAHRT!

NIVEAU A2 → A2+

ALLEMAND 2^E ANNÉE
NOUVEAUX PROGRAMMES

Collection dirigée par
Jean-Pierre Bernardy
Inspecteur Pédagogique Régional – Académie de Créteil

Catherine Creux
Collège Robert Doisneau, Clichy-sous-Bois (93)

Nils Haldenwang
Professeur certifié
Collège Jean de Beaumont, Villemomble (93)
Formateur associé à l'IUFM – Académie de Créteil

Florence Lozachmeur
Professeur agrégé
Collège de l'Europe, Chelles (77)
Formatrice associée à l'IUFM – Académie de Créteil

Catherine Pavan
Professeur certifié
Collège Travail-Langevin, Bagnolet (93)
Formatrice associée à l'IUFM – Académie de Créteil

Patricia Suissa-Le Scanff
Professeur agrégé
Collège Gabriel Péri, Aubervilliers (93)
Formatrice associée à l'IUFM – Académie de Créteil

Nathan

À la fin de la deuxième année d'apprentissage, l'objectif est d'atteindre le niveau A2 et d'amorcer le niveau A2+.

	ÉCOUTER	LIRE	PRENDRE PART À UNE CONVERSATION	S'EXPRIMER ORALEMENT EN CONTINU	ÉCRIRE
A2-1	Reconnaître des énoncés simples déjà rencontrés et entendus dans des situations familières. Comprendre les nombres et les chiffres isolés ainsi que des mots simples désignant des personnages dans un récit très bref.	Comprendre à l'écrit des énoncés déjà rencontrés auparavant. Repérer les thèmes essentiels abordés dans un courrier personnel ou dans un texte traitant d'un domaine familier.	Prendre part à des conversations brèves dans des situations simples et habituelles (rencontres, achats, demande de renseignements) sans que l'interlocuteur manifeste de grandes difficultés pour comprendre.	Se présenter ainsi que sa famille et ses amis (identité, travail, loisirs, domicile…) en quelques phrases simples.	Transcrire en 2 ou 3 phrases une information simple communiquée oralement.
A2-2	Comprendre des énoncés simples jamais entendus auparavant mais portant sur des thèmes familiers. Comprendre des consignes de travail brèves et claires. Comprendre des chiffres et des nombres exprimés dans des phrases.	Comprendre l'essentiel d'un texte simple et très court ne comportant que très peu de structures ou de mots inconnus. Trouver une information dans un document informatif traitant d'un domaine ou d'un thème familier.	Dans une conversation brève, poser des questions et répondre sur des thèmes familiers, quand ces réponses n'exigent pas d'interventions longues ni de prises de position personnelles.	Décrire en quelques phrases et avec des moyens simples, sa situation personnelle et résumer les informations les plus importantes sur soi-même, en relation avec le thème de l'intervention (goûts, formation…).	Rédiger une note ou un message court et simple pour communiquer une information en prenant appui sur des documents ou en utilisant le dictionnaire. Le sens général de l'écrit produit reste clair même s'il y a quelques erreurs de langue.

Édition : **Séverine Bulan**
Iconographie : **Nadine Gudimard**
Illustratrice : **Nadine Van der Straeten**
Conception de la maquette : **Marc & Yvette**
Mise en pages : **La papaye verte**
Couverture : **Grégoire Bourdin**
Cartographie : **La papaye verte**

© Éditions Nathan 2010
ISBN 978.2.09.175207.5

Avant-propos

GUTE FAHRT ! *2e année* vise à amener les élèves au niveau A2 du *Cadre européen commun de référence pour les langues* (CECRL), objectif fixé par les programmes pour le palier 1, au terme des deux premières années d'apprentissage de la langue au collège. Il prépare ainsi les élèves de 3e LV2 à la validation des compétences du *Socle commun de connaissances et de compétences*, exigée pour l'obtention du *Diplôme national du brevet* et fournit de nombreuses aides en ce sens pour l'auto-évaluation de l'élève et son évaluation par le professeur. Mais il s'attache aussi à faciliter, pour ces mêmes élèves, la transition avec la classe de seconde, en s'engageant progressivement vers le niveau A2+ et en abordant des thématiques culturelles adaptées à leur maturité. C'est dans cette perspective, et pour renforcer l'exposition des élèves à la langue étrangère, que chaque chapitre de *Gute Fahrt! 2e année* s'est enrichi d'une double page *Zugabe* qui propose des documents authentiques variés, des textes à lire, des extraits vidéo de formes diverses, tous centrés sur la thématique de l'unité et accompagnés de tâches à réaliser.

GUTE FAHRT ! *2e année* s'adresse également aux élèves des classes de 5e LV1 et des sections bilangues. La richesse des documents, situations et activités proposés dans chaque chapitre permettra au professeur, tout en adaptant le rythme de la progression à de plus jeunes élèves, d'effectuer les choix qu'il jugera utiles, tant parmi les faits de langue étudiés que parmi les thèmes abordés. La version numérique vidéoprojetable du manuel facilitera cette utilisation différenciée de la méthode.

GUTE FAHRT ! *2e année* s'efforce, dans ses sept chapitres, de mettre en œuvre les entraînements de façon équilibrée et cohérente, dans un parcours qui invite l'élève à utiliser la langue pour agir. Chaque **Station** se termine par la **Zwischenstation**, dans laquelle l'élève réinvestit en son nom propre les acquis de la séquence. En fin de chapitre, la **Endstation** apporte un éclairage sur un aspect de la civilisation des pays germanophones et propose à l'élève de participer, souvent en groupe, à la réalisation d'un projet qui lui permet là aussi de remobiliser l'ensemble des acquis du chapitre. Bon nombre de ces tâches supposent le recours aux techniques de l'information et de la communication et peuvent ainsi être prises en compte dans la validation du **Brevet informatique et Internet (B2i)**. L'élève retrouvera également les différentes rubriques, qui, tout au long de son apprentissage, l'aident à percevoir les objectifs poursuivis (Je vais apprendre à…), à faire le bilan de ses acquis (*Sprache aktiv*, *Ich kann's*) et à s'évaluer dans les cinq domaines d'activités langagières (*Jetzt kannst du's!*).

Cette structure cohérente n'exclut nullement la souplesse d'utilisation, puisque chaque chapitre, même s'il s'inscrit naturellement dans la progression d'ensemble, constitue une unité autonome, sans continuité narrative d'un chapitre à l'autre. Cela fait de la méthode *Gute Fahrt!* un outil facile à utiliser, dans la perspective d'une période de remédiation par exemple.

GUTE FAHRT ! *2e année* se détache, d'un point de vue thématique, de la sphère personnelle et familiale privilégiée dans les débuts de l'apprentissage, comme le montre dans les titres des chapitres le passage du *ich* et du *du* au *wir*. L'accent mis sur les échanges avec d'autres jeunes, les passerelles à établir et plus généralement l'engagement visent à élargir la vision que l'élève doit avoir de la société et à lui faire explorer de nouveaux espaces, géographiques et temporels. *Gute Fahrt! 2e année* prépare ainsi l'élève à la mobilité et à la situation de rencontre et participe au développement des compétences sociales et civiques attendues au terme de la scolarité au collège.

Les auteurs

PRÉSENTATION DU MANUEL

La structure d'une unité

OUVERTURE

- Un grand visuel pour entrer dans la thématique de l'unité
- Les objectifs d'apprentissage par activité langagière
- **Unser Projekt :** la tâche finale de l'unité

3 STATIONEN

En page de gauche
- Un document oral ou écrit pour découvrir les nouvelles structures

En page de droite
- Des activités pour consolider les acquis
- **Zwischenstation :** des tâches intermédiaires pour réemployer les acquis
- **Ich kann's :** un bilan des acquis de la *Station*

1 double page ZUGABE avec des documents authentiques et des vidéos pour aller plus loin

Les logos utilisés dans le manuel

Écouter   Lire   Parler en continu   Parler avec quelqu'un   Écrire

Élève Piste 2

Les CD audio

Classe

Le DVD-Rom du manuel numérique

DVD-ROM

➔ Cahier d'activités p. 00

Renvoi au Cahier d'activités

Les rubriques récurrentes

Vokabeln
Aide à l'expression

Hier und dort

Rapprochement allemand anglais

Sprechtraining
Entraînement à la prononciation et à l'accentuation

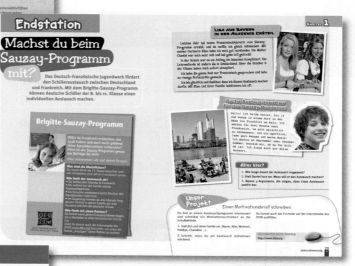

1 double page
SPRACHE AKTIV
- Un bilan grammatical par *Station* et des exercices
- Un bilan lexical de l'unité

1 double page
ENDSTATION
- Présentation d'aspects de la civilisation des pays de langue allemande
- **Unser Projekt :**
  Tâche finale pour réutiliser tous les acquis de l'unité

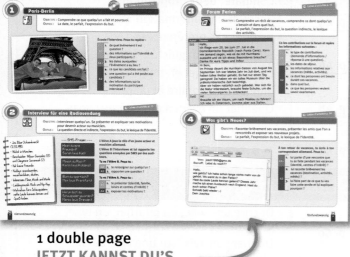

1 double page
JETZT KANNST DU'S
Des tâches pour s'évaluer et valoriser les compétences acquises dans les cinq activités langagières

1 page
SKRIPT
En fin d'unité, les scripts des dialogues du CD élève

EN FIN DU MANUEL

- Un mémento grammatical
- Un lexique bilingue allemand-français, français- allemand

Compétences grammaticales	Compétences lexicales	Compétences culturelles et tâche finale

- La question indirecte
- Les pronoms réfléchis (sing.)
- Le parfait
- Le complément d'objet à l'accusatif
- La proposition infinitive de but

Phonologie
- L'intonation de la phrase interrogative
- Les préverbes accentués et inaccentués
- [pʰ] [tʰ] [kʰ]
- « h » en début de mot : [h]

- Les présentations
- Les activités de loisir, de vacances
- Les dates
- Les objets du quotidien (vêtements, affaires de toilette)

- Les vacances scolaires en Allemagne
- Les voyages scolaires
- Les échanges scolaires

Machst du beim Sauzay-Programm mit?

 Écrire une lettre de motivation pour participer à un échange.

- La proposition subordonnée introduite par *wenn*
- Le verbe *sollen*
- Les prépositions suivies du datif
- Les déterminants possessifs (plur.)
- Les pronoms personnels au datif (plur.)

Phonologie
- [f] ou [v]
- [s], [z] ou [ts]
- L'accent de phrase (1)

- Les activités à l'école
- Le tutorat
- L'engagement

- Les projets et activités dans le cadre scolaire
- L'engagement des élèves

Bei einem Schulfest mitmachen

 Participer à la fête de l'école partenaire.

- La négation partielle
- Le comparatif d'égalité ou d'infériorité
- Les compléments obligatoires du verbe
- Les verbes à préverbe séparable
- L'adjectif épithète dans un groupe nominal indéfini (nominatif et accusatif)

Phonologie
- L'accent d'insistance
- [a] ou [aː]
- Sprachbrücken

- Les régions transfrontalières
- Les activités
- Les horaires
- Les prix
- Les déplacements en train
- Les noms et adjectifs de pays
- Les spectacles
- Les musées

- Strasbourg et Kehl
- La Lorraine et la Sarre
- Les événements culturels
- Une langue régionale : l'alsacien

Ein deutsch-französisches Treffen

 Organiser une rencontre franco-allemande à Freudenstadt.

- La proposition subordonnée infinitive
- Les quantificateurs
- Le comparatif de supériorité

Phonologie
- L'accent de phrase (2)
- Voyelles longues ou brèves (1)
- [au̯] ou [ɔy]

- La ville, le quartier, l'habitat
- Les moyens de transport
- Les projets
- Les adverbes connecteurs

- La ville, l'habitat en Allemagne
- Le conseil municipal des jeunes
- L'art dans la ville (Hundertwasser, Oberammergau, Berlin)

Anders wohnen, anders leben: Willkommen im Stadtteil Vauban

 Imaginer et présenter le plan de son quartier idéal.

- Caractériser une personne
- Situer des actions dans le temps
- Parler de la vie quotidienne
- Exprimer une relation d'appartenance
- Parler des programmes de télévision
- Exprimer le souhait, l'interdiction

- Donner son avis (sur un film)
- Résumer un film
- Raconter une histoire au passé
- Se renseigner sur des événements passés
- Situer des événements marquants dans le passé
- Exprimer des sentiments, la préférence

- Annoncer un événement futur
- Situer un événement dans le temps
- Parler de ses centres d'intérêt et de ses compétences
- Exprimer un souhait
- Donner des conseils

Compétences grammaticales	Compétences lexicales	Compétences culturelles et tâche finale
• La proposition subordonnée relative • L'adjectif épithète dans un groupe nominal défini (nominatif et accusatif) • Le complément du nom • Les compléments de temps • Les verbes de modalité • Les prépositions suivies de l'accusatif **Phonologie** • « r » en fin de mot: [ɐ] • [aɪ] ou [iː] • L'intonation de la phrase (injonctive et exclamative)	• La description • Les étapes marquantes d'une vie • L'entreprise familiale • La vie quotidienne familiale • Les émissions de télévision	• La famille allemande • Entreprises familiales : K. Wohlfahrt, M. Steiff • Inventeurs allemands • La télévision en Allemagne • Otto Dix *Bekannte deutsche Geschwister* Réaliser une bande dessinée sur une fratrie allemande connue.
• Le superlatif • Le prétérit • La subordonnée temporelle avec *als* **Phonologie** • L'accent de groupe • L'inflexion des voyelles • [ʃp] et [ʃt] • Voyelles longues ou brèves (2) • [ɪ] ou [iː]	• Le cinéma • Les sentiments • Les modes de vie • Les faits historiques marquants • Les marqueurs temporels	• Les films allemands • Les Germains • La chute du Mur et l'Allemagne réunifiée • La vie quotidienne en RDA *Mein Familienfotoalbum* Faire un album de souvenirs.
• L'expression du futur • L'expression du conseil • L'expression du souhait • Le superlatif de l'adverbe **Phonologie** • « e » et « en » en fin de mot • [x], [ç] ou [ʃ] • [j], [ʒ] ou [dʒ] • [pf]	• Projets d'étude • Projets professionnels • Les centres d'intérêt • Les aptitudes • Les métiers • La formation	• Un astronaute allemand • L'orientation • La vie professionnelle • Les petits « boulots » *Schülerjobs* Postuler pour un stage en Allemagne.

Wechselspiele

 KAPITEL 1

 2 **Schulferien**

a. Wann sind in den folgenden Bundesländern Ferien?
Gruppe 2 stellt Gruppe 1 Fragen.
Gruppe 1: Seite 15.
BEISPIEL: Die Sommerferien sind in Bremen vom ... bis zum ...

Schulferien				
	Bayern	Berlin	Brandenburg	Bremen
Herbst	19.10.-30.10.		19.10.-31.10.	26.10.-31.10.
Weihnachten	23.12.-5.1.		18.12.-3.1.	23.12.-9.1.
Winter	2.2.-7.2.	2.2.-3.2.	23.2.-28.2.	2.2.-3.2.
Ostern	8.4.-17.4.	30.3.-15.4.		9.4.-17.4.
Pfingsten	22.5.-2.6.	22.5.	22.5.	
Sommer	16.7.-29.8.	25.6.-5.8.	13.7.-24.8.	

KAPITEL 5

 2 **Kein Streit ums Fernsehprogramm!**

Gruppe 2 stellt Gruppe 1 Fragen über das Programm im ZDF, auf RTL und auf SAT.1.
Gruppe 1: Seite 81.
BEISPIEL: Gruppe 2: Was läuft im / auf ...? Worum geht es?
Gruppe 1: Im / Auf ... läuft „...“ Es geht um einen / ein / eine ...

 DAS ERSTE

20.15 Tierärztin Dr. Mertens - Das Geschenk
Familienserie, D 2009
Die Tierärztin macht sich Sorgen um die Tochter Luisa.

SWR» SWR

20.15 Die Geschwister Hofmann Show
Open-Air-Konzert der beiden musikalischen Schwestern Anita und Alexandra.

3sat 3SAT

20.15 Deutschland von A bis Z
Doku, 2009
Journalistin Katrin Bauerfeind reist durch die Bundesrepublik.

KAPITEL 6

 3 **Was machten sie damals?**

Was machten Katja, Maria, Markus und Beate, als folgende Ereignisse stattfanden?
Gruppe 2 stellt Gruppe 1 Fragen.
Gruppe 1: Seite 97.
BEISPIEL: Als die Mauer fiel, ...

❶ „...“ Katja P.

❷ „Ich feierte meinen Geburtstag zu Hause.“ Maria K.

❸ „...“ Markus M.

❹ „Ich war mit Freunden zu Hause, und wir guckten uns das Spiel im Fernsehen an.“ Beate S.

❶ 1961 Das ostdeutsche Regime baute die Berliner Mauer.

❷ 1978 Sigmund Jähn flog als erster Deutscher ins All.

❸ 1989 Die Mauer fiel.

❹ 1990 Deutschland gewann die Fußball-WM.

Neue Freunde gesucht

Je vais apprendre à...

 Écouter

- Comprendre quelqu'un qui se présente.
- Comprendre ce que quelqu'un a fait pendant ses vacances.
- Comprendre ce dont quelqu'un a besoin.
- Comprendre les motivations de quelqu'un, la finalité d'une action.

 Lire

- Comprendre une lettre de présentation.
- Comprendre une carte postale de vacances.

 Parler en continu

- Me présenter.
- Raconter un fait passé.
- Indiquer une date.

 Parler avec quelqu'un

- Échanger des informations à propos de l'identité (nom, âge, ville...).
- Rapporter une question à quelqu'un.
- Expliquer mes motivations à quelqu'un.

 Écrire

- Rédiger un article sur mes vacances.

Unser Projekt

➤ Écrire une lettre de motivation pour participer à un échange.

Neue Kontakte

1 Los! Sprich sie doch an!

a. Schau dir das Bild an und kommentiere es. Was fragt wohl der Junge links?

b. Hör dir das Gespräch an und notiere Informationen über das Mädchen (Vorname, Herkunft, Hobby...).

c. Lies den Brief des Mädchens an seine Gastfamilie. Ergänze sein Profil.

d. Ein Detail im Dialog stimmt nicht. Kannst du es finden?

➔ Cahier d'activités p. 5

Brest, den 7. April

Liebe Familie Steinbach,

ich heiße Coraline Olivier und bin Meikes Austauschpartnerin. Ich bin 14 Jahre alt und lebe mit meiner Mutter und meinem kleinen Bruder in der Bretagne. Ich lerne seit drei Jahren Deutsch und interessiere mich für die deutsche Kultur. In meiner Freizeit reite ich und treffe mich gern mit meinen Freunden. Sie sagen, dass ich nett und offen bin. Ich glaube, das stimmt. ☺
Ich freue mich sehr auf Juni.

Herzliche Grüße

Coraline

PS: Meine Mutter fragt, ob Sie Französisch können.

Vokabeln

die Austauschpartnerin
sich für etwas interessieren
sich auf etwas freuen

Hier und dort

leben	live
lernen	learn
reiten	ride
offen	open

Sprechtraining

■ L'intonation de la phrase interrogative

➔ Cahier d'activités p. 6

2 Willst du mich als Freund hinzufügen?

Drei Avatare stellen sich vor.

a. Was erfährst du über sie?
(Vorname, Alter, Wohnort, Hobbys ...)

b. Mit welchem möchtest du gerne chatten? Warum?

➔ Cahier d'activités p. 6

3 Was wollen sie denn wissen?

Ein deutscher Junge besucht eine französische Schule. Die französischen Schüler stellen ihm Fragen, aber er versteht nicht viel. Kannst du ihm helfen?

BEISPIEL: Marc fragt dich, wie /ob ...

Zwischenstation

■ **Sich vorstellen und sich über jemanden informieren**

a. Vier Schüler stellen sich vor. Die anderen Schüler merken sich ein Maximum an Informationen.

b. Organisiert ein Gruppenspiel. Gruppe 1 stellt eine Frage über einen der vier Schüler. Gruppe 2 antwortet auf die Frage.

BEISPIEL: Kannst du mir sagen, was / wie / ob ...?

Ich kann's

☁ Je comprends quelqu'un qui se présente et je sais me présenter.

☁ Je comprends une lettre de présentation.

☁ Je sais rapporter une question.

Tolle Ferien!

1 Zurück aus den Ferien

Piste 4

a. Schau dir die Fotos an und kommentiere sie. Wo war Thomas in den Ferien? Was hat er gemacht?

b. Hör dir das Telefongespräch an und notiere Informationen über Alexanders Ferien (Wo? Wie lange? Mit wem? Wetter? Was?).

➔ Cahier d'activités p. 8

Englischer Garten

Schloss Nymphenburg

Allianz Arena

Vokabeln

Er hat ... besichtigt.
Er hat ... gesurft.
Er ist ... gegangen / gefahren.

Sprechtraining

■ **Les préverbes accentués et inaccentués**

➔ Cahier d'activités p. 9

Piste 5

2　Schulferien

a. Wann sind in den folgenden Bundesländern Ferien?

Gruppe 1 stellt Gruppe 2 Fragen.
Gruppe 2: Seite 10.

> **BEISPIEL:** Die Sommerferien sind in Berlin vom ... bis zum ...

b. Hör dir die Nachrichten an. Wo waren die Personen? Was haben sie gemacht? Woher kommen sie?

➔ Cahier d'activités p. 9

Schulferien				
	Bayern	Berlin	Brandenburg	Bremen
Herbst	19.10.-30.10.	5.10.-17.10.	19.10.-31.10.	
Weihnachten	23.12.-5.1.	21.12.-3.1.		23.12.-9.1.
Winter		2.2.-3.2.	23.2.-28.2.	2.2.-3.2.
Ostern	8.4.-17.4.		6.4.-18.4.	9.4.-17.4.
Pfingsten	22.5.-2.6.	22.5.	22.5.	25.5.-6.6.
Sommer	16.7.-29.8.		13.7.-24.8.	1.8.-12.9.

3　Post

a. Lies die Postkarte. Woher kommt sie? Wer schreibt? An wen? Was macht diese Person in den Ferien?

b. Du bist Sonia. Schreib einen Artikel über deine Ferien in deinen Blog.

> Hallo Timo!
>
> Liebe Grüße aus Sankt Peter-Ording. Wir haben echt eine super Woche. Das Wetter ist wunderschön. Wir gehen jeden Tag an den Strand und baden. Mein Bruder lernt Kitesurfen und kann's schon ganz gut. Morgen fahren wir mit meinen Eltern zu einer Tante nach Lübeck und am Abend wollen wir zusammen in ein Open-Air-Konzert. Ich freue mich schon!
> Bis bald
>
> Deine Sonia

> Timo Hempel
> Beethovenstraße 23
>
> 53111 BONN

Zwischenstation

■ **Einen Artikel über seine Ferien schreiben**

Schreib einen Artikel über deine Ferien in deinen Blog und füg ein paar Bilder ein.

Ich kann's

- Je comprends un récit au passé.
- Je comprends une carte postale de vacances.
- Je comprends et je sais indiquer une date.
- Je sais raconter mes vacances.

Station 3

Neue Horizonte

Piste 6

1 Ab ins Ausland!

a. Schau dir das Bild an. Wohin fährt Sophie vielleicht? Was will sie dort machen? Was braucht sie?

b. Hör dir den Dialog an. Hast du richtig getippt?

➔ Cahier d'activités p. 11

Nicht vergessen!
- Duschgel
- Zahnbürste
- Zahnpasta

Vokabeln

seinen Koffer packen

das Handtuch (¨er)   die Unterwäsche   die Zahnbürste (-n)

Sprechtraining

- [pʰ], [tʰ], [kʰ]
- « h » en début de mot : [h]

➔ Cahier d'activités p. 12

Pistes 7-8

② Klassenfahrt

Die Schüler der Sophie-Scholl-Realschule organisieren eine Klassenfahrt.

a. Hör dir die Aussagen an. Wofür interessieren sich die Schüler?

b. Schau dir die Fotos an. Wohin will jeder bestimmt fahren? Wozu?

➔ Cahier d'activités p. 12

Davos – Skikurs

Bayern – Schloss Neuschwanstein

Berlin – Checkpoint Charlie

Hamburg – Hafen

Bonn – Beethovens Geburtshaus

Wien – Spanische Hofreitschule

Zwischenstation

■ Bei einer Klassenfahrt mitmachen

a. Wählt das Reiseziel eurer Klassenfahrt aus.

b. Was braucht ihr? Wozu?

Ich kann's

☯ Je comprends et je sais indiquer ce dont quelqu'un a besoin.

☯ Je sais exprimer le but, la finalité d'une action.

Es lebe der Schulaustausch!

1 Ein Comic: Hanna und Chloé

Lies den Comic.

a. Bildet Gruppen. Jede Gruppe sucht sich eine Situation aus und erfindet einen Dialog.

b. Schreib Sprechblasen für die Bilder 3 bis 8.

Hallo Hanna! Du willst wissen, was ich jetzt so mache?

Lass mich von meiner Schulzeit und den Jahren danach erzählen. Erinnerst du dich an unseren Schulaustausch, als ich nach Berlin gekommen bin?

Ich erinnere mich noch ganz gut an meine Ankunft bei deiner Familie.

Wir haben uns von Anfang an perfekt verstanden.

Nach einer Woche hatte Berlin keine Geheimnisse mehr für mich ... na ja, fast keine mehr ...

Aber dann musste ich doch zurück nach Montpellier, zurück ins Collège.

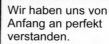

Farid Boudjellal, Fraco, Tobias Deicke, Mawil, *Hanna und Chloé* © Tartamudo, 2004

2 Eine Liebeskomödie

a. Lies den Text und stell Henrik vor. Warum macht er beim Austausch mit?

b. Du bist Henrik. Schreib einen kurzen Brief auf Deutsch an deinen Austauschpartner.

Filminfo

Henrik findet Frankreich und Französisch total uncool. Eines Tages lernt er aber die Halbfranzösin Valérie kennen und verliebt sich in sie. Nur zu dumm, dass er sich schon als Frankreichhasser geoutet hat. Die Chancen auf ein Date liegen unter null. Zum Glück organisiert die Schule einen deutsch-französischen Austausch... Kurze Zeit später sitzt Henrik mit seinem besten Freund und Valérie im Bus nach Frankreich. Dort angekommen genießt er schnell das französische *Savoir-vivre*: wilde Partys, eine verrückte Gastfamilie, nächtliche Ausflüge und die erste große Liebe. All das macht aus dem anfangs eher ungewollten Ferienaufenthalt einen unvergesslichen Sommer.

http://www.franzoesisch.film.de/

Reportage über eine Austauschschülerin

Sieh dir die Reportage an.

a. Stell das Mädchen vor (Vorname, Herkunft ...).

b. Was ist für sie anders als in Frankreich? Was ist gleich?

c. Das Mädchen muss einen kurzen Erfahrungsbericht schreiben. Hilf ihm dabei.

Sprache aktiv

→ Cahier d'activités p. 7
→ Mémento grammatical p. 125 et 128

Station 1

1 La question indirecte

• Pour rapporter une question partielle, on utilise une subordonnée interrogative introduite par le mot interrogatif en *w-*.

Woher kommt Coraline?

→ Till fragt, **woher** Coraline **kommt**.

• Pour rapporter une question globale, on utilise une subordonnée interrogative introduite par la conjonction de subordination *ob*.

Magst du Tiere?

→ Till möchte wissen, **ob** Coraline Tiere **mag**.

⚠ La proposition subordonnée est séparée de la principale par une virgule. Le verbe conjugué est en dernière position.

2 Les pronoms réfléchis au singulier

Le pronom réfléchi renvoie à la même personne que le sujet.

Ich interessiere **mich** für Kunst.
Interessierst **du dich** für Kunst?
Er / Sie interessiert **sich** für Kunst.

1 Tobias n'ose pas aborder la nouvelle élève. Son copain Mirko joue les intermédiaires.

Wie heißt sie? → *Mein Freund will wissen, wie du heißt.*

a. Wie findet sie die Schule?
b. Was ist ihr Lieblingsfach?
c. Geht sie gern ins Kino?
d. Spielt sie gern Videospiele?
e. Wann hat sie Geburtstag?
f. Hat sie schon einen Freund?
g. Warum wohnt sie jetzt hier?
h. Kann sie Klavier spielen?
i. Ist sie gut in der Schule?

2 Complète par le pronom réfléchi qui convient.

a. Ich frage ..., ob der neue Mathelehrer cool ist.
b. Kannst du ... bitte über Fabians Austauschpartner informieren?
c. Mensch, Tina! Sei doch still! Ich will zuhören. Der Neue stellt ... vor.
d. Ich habe gehört, dass er ... für Sport interessiert.
e. Du kannst ... am Wochenende mit ihm treffen. Er freut ... bestimmt.

→ Cahier d'activités p. 10
→ Mémento grammatical p. 132

Station 2

1 Le parfait

• Le parfait est un temps composé d'un auxiliaire (*haben* ou *sein*) et d'un participe II (ou participe passé).

Wir **haben** am Strand Fische **gegrillt**.

• Le participe II des verbes faibles prend la terminaison *-t* : grillen → **gegrillt**

• Celui des verbes forts* prend la terminaison *-en*. Le radical peut changer de voyelle : lesen → **gelesen** / treffen → **getroffen** / bleiben → **geblieben**

• Pour les verbes à préverbe séparable, *ge-* se place toujours devant le radical du verbe.

Die Schule hat wieder **an**ge**fangen**.

⚠ Les verbes non accentués sur la 1re syllabe ne prennent pas *ge-*.

Ich **habe** das Deutsche Museum **besichtigt**.

* Voir la liste des verbes forts p. 134

3 Matthias a reçu hier plusieurs messages sur *Twitter*. Raconte ce qu'ont fait ses amis (vérifie p. 134 si le verbe est fort ou faible).

Sven: Ich surfe im Internet.
→ *Sven hat im Internet gesurft.*

a. Anna: Ich lese ein Buch.
b. Leo: Ich mache meine Hausaufgaben.
c. Jens: Ich gehe in die Stadt.
d. Karola: Ich spiele mit meinem Bruder Videospiele.
e. Jonas: Ich sehe fern.
f. Verena: Ich organisiere meine Geburtstagsparty.
g. Kai: Ich besuche meine Tante in Trier.

→ Cahier d'activités p. 13
→ Mémento grammatical p. 125 et 128

1 Le complément d'objet à l'accusatif

Le complément d'objet à l'accusatif répond à la question *wen?* ou *was?*. À l'accusatif, seul le déterminant masculin se distingue du nominatif.
Ich brauche ein**en** Pulli, eine Hose und ein**ø** T-Shirt.

La préposition *für* est également suivie de l'accusatif.
Ich interessiere mich für ein**en** Schüleraustausch nach Kanada.

2 La proposition infinitive de but

Pour indiquer le but, on peut utiliser une proposition infinitive introduite par *um*. Le verbe est à l'infinitif, en dernière position, et il est précédé de *zu*.
Ich mache beim Sauzay-Programm mit, **um** mein Deutsch **zu** verbessern.

Dans ce cas, le sujet sous-entendu de la proposition infinitive est obligatoirement le même que celui de la principale.
Ich mache beim Sauzay-Programm mit. **Ich** will mein Deutsch verbessern.

⚠ Dans le cas d'un verbe à préverbe séparable, *zu* se place toujours devant le radical du verbe.
Ich brauche einen anderen Koffer, **um** alle Sachen ein**zu**packen.

4 Complète par la terminaison qui convient (vérifie le genre des mots).

a. Die Schule organisiert ein... Klassenfahrt nach Österreich.
b. Die Schüler wollen ein... Ausflug nach Salzburg machen.
c. Thomas packt sein... Koffer.
d. Er nimmt sein... MP3-Player, ein... Buch und ein... Handykarte mit.

5 Theo a reçu sa liste d'affaires pour partir en colonie. De quoi a-t-il besoin ? Pour quoi faire ?

Reisepass (nach Tschechien fahren) → *Er braucht einen Reisepass, um nach Tschechien zu fahren.*

a. Schlafsack (im Wald zelten)
b. Landkarte (einen Orientierungslauf machen)
c. Taschenlampe (nachts wandern)
d. Sportsachen (klettern)
e. Helm (Mountainbike fahren)
f. Sportschuhe (Fußball spielen)
g. Schwimmweste (Kajak fahren)
h. Handy (die Eltern *an*rufen)
i. Geld (den Eltern Souvenirs *mit*bringen)

Vokabeln
Kurz und gut

1 Sich vorstellen

Ich heiße ... / Ich bin ... / Mein Name ist ...
Ich wohne / lebe in ...
Ich bin ... Jahre alt.
Ich komme aus ...

Ich mag ... / Ich liebe ...
Ich interessiere mich für ...
Ich spiele gern / am liebsten ...
Meine Hobbys sind ...
Meine Lieblingsmusik ist ...

Ich finde ... toll / super / prima ≠ langweilig / doof

nett
neugierig
offen
optimistisch
ruhig
sensibel
sportlich
witzig

2 Ferienaktivitäten

an den Strand gehen
segeln
baden
neue Freunde kennen lernen
sich mit Freunden treffen
ein Museum / Schloss besichtigen
ins Kino / Schwimmbad gehen

Endstation

Machst du beim Sauzay-Programm mit?

Das Deutsch-Französische Jugendwerk fördert den Schüleraustausch zwischen Deutschland und Frankreich. Mit dem Brigitte-Sauzay-Programm können deutsche Schüler der 8. bis 11. Klasse einen individuellen Austausch machen.

Brigitte-Sauzay-Programm

Willst du Frankreich entdecken, viel Spaß haben und auch noch spielend deine Sprachkenntnisse verbessern? Dann ist das Sauzay-Programm genau das Richtige für dich!

Hier antworten wir auf deine Fragen.

Was sind die Modalitäten?
Du musst die 8. bis 11. Klasse besuchen und seit mindestens zwei Jahren Französisch lernen.

Wie läuft der Austausch ab?
• Du bleibst drei Monate in Frankreich.
• Du wohnst bei der Familie deines Austauschpartners.
• Du besuchst mindestens sechs Wochen den französischen Unterricht.
• Im Gegenzug nimmst du drei Monate lang deinen Partner in deiner Familie auf und besuchst mit ihm die deutsche Schule.

Wie finde ich einen Partner?
Du kannst zuerst deinen Französischlehrer fragen, ob er Kontakte zu einer französischen Schule hat.
Oder du kannst auch die Internetseite des DFJW www.dfjw.org besuchen, um unter der Rubrik „Anzeigen" einen Partner zu suchen.

Deutsch-Französisches Jugendwerk
Office franco-allemand pour la Jeunesse

LISA AUS BAYERN IN DER AKADEMIE CRÉTEIL

Letztes Jahr hat meine Französischlehrerin vom Sauzay-Programm erzählt, und da wollte ich gleich mitmachen. Mit meiner Partnerin Elise habe ich mich gut verstanden. Die Mutter Chantal war auch sehr nett und hat ganz toll gekocht!

In der Schule war es am Anfang ein bisschen kompliziert. Die Lehrmethode ist anders als in Deutschland. Aber die Schüler in der Klasse haben mich sofort akzeptiert.

Ich habe die ganze Zeit nur Französisch gesprochen und habe so riesige Fortschritte gemacht.

Ich bin glücklich und dankbar, dass ich diesen Austausch machen durfte. Mit Elise und ihrer Familie telefoniere ich oft.

Suche Austauschpartner für das Sauzay-Programm

Hallo! Ich heiße Daniel, bin 14 und wohne in einem Dorf in der Nähe von Frankfurt am Main. Ich möchte für drei Monate nach Frankreich, um mich sprachlich zu verbessern. Ich bin sportlich, lese gern Mangas und mache Musik. Ich möchte ab September oder Oktober kommen. Schreib mir, ob es für dich OK ist. Ich freue mich auf deine Antwort.

Alles klar?

1. Wie lange dauert der Austausch insgesamt?
2. Stell Daniel kurz vor. Wozu will er den Austausch machen?
3. Nenne 3 Argumente, die zeigen, dass Lisas Austausch positiv war.

Unser Projekt

Einen Motivationsbrief schreiben

Du bist an einem Austauschprogramm interessiert und schreibst ein Motivationsschreiben an die Schulbehörde.

1. Stell dich und deine Familie vor. (Name, Alter, Wohnort, Hobbys, Charakter ...)

2. Schreib, wozu du am Austausch teilnehmen möchtest.

Du kannst auch das Formular auf der Internetseite des DFJW ausfüllen.

WEBSITE FÜR INFOS
http://www.dfjw.org

1

Paris-Berlin

Classe
→ Cahier d'activités p. 15

Objectifs : Comprendre ce que quelqu'un a fait et pourquoi.
Outils : La date, le parfait, l'expression du but.

Écoute l'interview. Peux-tu repérer :

A1
1. de quel événement il est question ?
2. des informations sur l'identité des deux participants ?

A1+
3. les dates auxquelles l'événement a eu lieu ?

A2
4. ce que les candidats ont fait ?
5. une question qui a été posée aux candidats ?
6. des informations sur la motivation du participant interviewé ?

2

→ Cahier d'activités p. 15

Interview für eine Radiosendung

Objectifs : Interviewer quelqu'un. Se présenter et expliquer ses motivations pour devenir acteur ou musicien.
Outils : La question directe et indirecte, l'expression du but, le lexique de l'identité.

- Jimi Blue Ochsenknecht (27.12.1991).
- Wohnt in München.
- Geschwister: Wilson Gonzalez (17) und Cheyenne Savannah (7).
- Hat keine Freundin.
- Hobbys: snowboarden, mountainbiken, skaten,
- Interessen: Filme, Musik und Mode.
- Lieblingsmusik: Rock und Hip-Hop.
- Motivation fürs Schauspielern: nette Leute kennen lernen und Spaß haben.

--- SMS-Fragen ---

Hast du eine Freundin?
Sarah (aus Kiel)

Magst du Rock?
Karin (aus Koblenz)

Bist du sportlich?
Max (aus Frankfurt)

Warum bist du Schauspieler geworden?
Marco (aus Dresden)

L'élève A joue le rôle d'un jeune acteur et musicien allemand.

L'élève B l'interviewe et lui rapporte les questions envoyées par SMS par des auditeurs.

Tu es l'élève B. Peux-tu :

A1 1. te renseigner sur quelqu'un ?
A2 2. rapporter une question ?

Tu es l'élève A. Peux-tu :

A1 1. te présenter (identité, famille, loisirs et centres d'intérêt) ?
A2 2. exposer tes motivations ?

→ Cahier d'activités p. 16

3   Forum Ferien

OBJECTIFS : Comprendre un récit de vacances, comprendre ce dont quelqu'un a besoin et dans quel but.

OUTILS : Le parfait, l'expression du but, la question indirecte, le lexique des activités.

Autor	Thema
Beni	Hallo, ich fliege vom 20. bis zum 27. Juli in die Dominikanische Republik (nach Punta Cana). Kann mir jemand sagen, wie es da mit Hurrikans aussieht und ob ich etwas Besonderes brauche? Danke für eure Tipps und Infos!
Kerstin	Hi Beni, im Prinzip dauert die Hurrikan-Saison von August bis September. Ich war letztes Jahr im Juli dort, und wir haben tolles Wetter gehabt. Es hat nur einen Tag geregnet! Da haben wir ein tolles Museum über die präkolumbianische Zeit besichtigt. Aber wir haben natürlich auch gebadet. Wer sich für die Natur interessiert, braucht feste Schuhe, um die vielen Nationalparks zu entdecken!
Kuefi	Hi! Brauche ich ein Visum, um nach Moskau zu fahren? Ich lebe in Österreich, komme aber aus Italien.

Lis les contributions sur le forum et repère les informations suivantes :

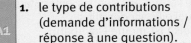

1. le type de contributions (demande d'informations / réponse à une question).
2. les dates de séjour.
3. les informations relatives aux vacances (météo, activités).
4. ce dont les personnes ont besoin durant ces vacances.
5. dans quel but.
6. ce que les personnes veulent savoir exactement.

→ Cahier d'activités p. 16

4   Was gibt's Neues?

OBJECTIFS : Raconter brièvement ses vacances, présenter les amis que l'on a rencontrés et exposer ses nouveaux projets.

OUTILS : Le parfait, l'expression du but, le lexique de l'identité.

Von: josch1995@gmx.de
Betreff: Lebst du noch??

Hallo,
wie geht's? Ich habe schon lange nichts mehr von dir gehört. Wo warst du in den Ferien?
Hast du coole Leute kennen gelernt? Dieses Jahr mache ich einen Austausch nach England. Hast du auch schon Pläne?
Schreib bald wieder ;-)
Dein Joschka

À ton retour de vacances, tu écris à ton correspondant allemand. Peux-tu :

1. lui parler d'une rencontre que tu as faite pendant tes vacances (identité, centres d'intérêt) ?
2. lui raconter brièvement tes vacances (destination, activités, météo) ?
3. lui faire part de ce que tu vas faire cette année et lui expliquer pourquoi ?

Los! Sprich sie doch an!

Till: Kennst du das Mädchen dort?

Jan: Das ist doch Lea.

Till: Nein, ich meine das Mädchen mit dem rotem Kleid.

Jan: Ach die! Das ist Meikes französische Austauschpartnerin.

Till: Die sieht klasse aus! Weißt du, wie sie heißt?

Jan: Sie heißt Coraline.

Till: Toller Name. Woher kommt sie?

Jan: Sie kommt aus Rennes, einer Stadt in der Bretagne.

Till: Du weißt wieder alles.

Jan: Meike ist meine Nachbarin.

Till: Stimmt. Du, ich will alles über Coraline wissen: ihre Lieblingsmusik, ihre Hobbys, ob sie Tiere mag, alles.

Jan: Warum fragst du sie nicht selbst?

Till: Ich kann doch nicht hingehen und sie ausfragen. Vorsicht, sie kommt!

Meike: Hallo Jan, hallo Till! Jan, du kennst Coraline schon. Till, das ist meine Austauschpartnerin Coraline.

Till: Hi!

Coraline: Guten Tag.

Jan: Till möchte dir ein paar Fragen stellen.

Till: Sei still! Spinnst du? – Ähm! Wie geht es dir?

Coraline: Gut, danke. Und dir?

Till: Auch gut. – Auweia.

Jan: Till, was ist mit dir?

Till: Hör mit dem Quatsch auf.

Coraline: Wie bitte?

Jan: Till will wissen, welche Hobbys du hast und ob du Tiere magst.

Coraline: Ich mag Tiere, besonders Pferde. Ich reite, das ist mein Hobby.

Jan: Till reitet auch! Till, sag doch etwas.

Coraline: Reiten ist auch dein Hobby?

Till: Ja.

Jan: Weißt du Coraline, Till interessiert sich auch für Frankreich, besonders für die Bretagne.

Till: Mensch Jan, lass mich in Ruhe!

Meike: Ich glaube, wir werden das später besprechen. Tschüs Jungs!

Zurück aus den Ferien

Frau Kern: Kern.

Alexander: Guten Tag Frau Kern, hier ist Alexander. Ist Thomas da?

Frau Kern: Grüß dich Alexander. Thomas lernt gerade Mathe. Ich seh' mal nach, ob ich stören kann. – Thomas? Alexander für dich.

Thomas: Ich komme! – Hi! Wie geht es dir?

Alexander: Gut. Wieso musst du Mathe lernen?

Thomas: Du weißt doch, die Schule hat bei uns wieder angefangen.

Alexander: Du Armer! Mir geht es da besser. Ich habe noch eine Woche frei.

Thomas: Ach, sei still! Erzähle mir lieber, was du in den Ferien gemacht hast.

Alexander: Thibaut, mein Austauschpartner vom Sauzay-Programm, war noch da, und wir sind auf die Insel Rügen gefahren. Das war ganz toll! Das Wetter war wunderschön. Wir waren segeln, baden und haben einmal am Strand Fische gegrillt.

Thomas: Und wo wart ihr noch?

Alexander: Wir waren nur auf Rügen, zwei Wochen, dann sind wir nach Saarbrücken zurückgefahren. Da sind wir ins Kino, ins Schwimmbad und auf den Tennisplatz gegangen. Thibaut spielt wirklich gut Tennis. Am 2. August ist er nach Frankreich zurückgefahren. Und wie waren deine Ferien?

Thomas: Schön! Ich war zwei Wochen bei meiner Tante in München. Auf meinem Facebook-Profil kannst du Bilder sehen. Aber jetzt ruft mich mein Matheheft wieder. Tschüs Alexander!

Alexander: Tschüs und alles Gute für Mathe.

Ab ins Ausland!

Sophie: Gut. Was brauche ich für drei Monate in Frankreich? Erst einmal meinen Koffer.

Julia: Ich finde dich ganz schön mutig. Warum willst du denn so lange weg?

Sophie: Um mein Französisch zu verbessern. Das geht nur im Land. Ich muss jetzt packen. Unterwäsche, T-Shirts, sieben Pullis ...

Julia: Hast du denn keine Angst, bei fremden Menschen zu wohnen?

Sophie: Am Telefon waren sie immer nett. Und ich fahre doch auch, um neue Leute kennen zu lernen. Also, vier Hosen, drei Röcke, zwei Pyjamas, Hausschuhe. – Mama! Muss ich auch Handtücher einpacken?

Mutter: Nein. Die bekommst du dort.

Sophie: Okay. Also Zahnbürste, Zahnpasta, Shampoo, Duschgel, Haarbürste.

Julia: Ich habe gehört, die Franzosen haben einen ganz anderen Lebensrhythmus als wir Deutschen.

Sophie: Ja und? Das ist doch interessant. Ich fahre ja nach Frankreich, um eine andere Kultur kennen zu lernen. Der Fotoapparat muss auch mit.

Julia: Bringst du auch Geschenke mit?

Sophie: Ja natürlich! Manon bekommt ein Riesenpuzzle mit einer Luftaufnahme von Köln und die Eltern eine Flasche Rheinwein und eine Flasche Kölnisch Wasser.

Julia: Ein Puzzle? Ist das nicht ein bisschen doof?

Sophie: Puzzle sind Manons Hobby. Ich bringe ihr eines mit 1 500 Teilen mit! So. Und jetzt heißt es Koffer zumachen. Ich krieg' den Koffer nicht zu! Setz dich doch bitte drauf. Ja! Geschafft. Oh nein!

Julia: Was ist denn?

Sophie: Ich habe vergessen, Socken einzupacken!

Unsere Schule: Da machen wir mit!

Je vais apprendre à...

 Écouter
- Comprendre des réactions à des propositions qui sont faites.
- Comprendre les actions mises en place pour aider quelqu'un.

 Lire
- Comprendre le point de vue de quelqu'un.
- Comprendre des annonces dans lesquelles quelqu'un propose son aide.
- Comprendre le compte-rendu d'une action.

 Parler en continu
- Dire en quoi consiste le rôle de quelqu'un.

 Parler avec quelqu'un
- Parler d'une éventualité.
- Dire si je suis d'accord ou non avec quelqu'un.
- Donner un conseil à quelqu'un.

 Écrire
- Rédiger une contribution sur un forum.
- Rédiger un compte-rendu d'expérience.

Unser Projekt

 Participer à la fête de l'école partenaire.

Wir sind dabei!

1 Welches Thema für die Projektwoche?

a. Schau dir das Plakat an. Was kannst du über diese Projektwoche sagen?

b. Lehrer diskutieren über die Projektwoche in diesem Jahr. Hör dir das Gespräch an.
• **Was schlagen sie vor?**
• **Wie reagieren Hannes Mauerbach und Susanne Beer? Sind sie für oder gegen die Vorschläge?**
• **Was ist schließlich das Thema der Projektwoche?**

➔ Cahier d'activités p. 17

Piste 9

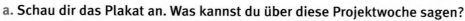

PROJEKTWOCHE AFRIKA
15. – 19. MÄRZ 2010

Kochen & backen

Kokosbrot,
Reissalat,
Hirsesuppe …
Das afrikanische
Essen schmeckt
echt lecker!

Hütte & Geräte

Es macht
Spaß, eine
afrikanische
Rundhütte
zu bauen!

Kleidung & Masken

Masken basteln, Kleider nähen und …
eine afrikanische Modenschau
organisieren: eine tolle Projektwoche!

Musik & Tanz

Lieder singen, das ist kein Problem! Aber
afrikanische Rhythmen lernen, um danach
Djembe spielen zu können, das ist gar
nicht so einfach!

Vokabeln

(nicht) einverstanden sein
Er ist dafür ≠ Er ist dagegen
die Gesundheit *la santé*

Sprechtraining

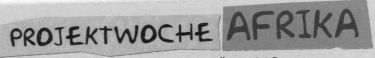

■ [f] ou [v]
➔ Cahier d'activités p. 18

Piste 10

2 Mach mit, wenn du fit bleiben willst!

Schüler A sagt, was er kann und was er gern macht.

Schüler B liest die drei Anzeigen und sagt, wo Schüler A mitmachen kann.

> **BEISPIEL: B:** Wenn du ..., kannst du bei der Gruppe „..." mitmachen.

➔ Cahier d'activités p. 18

SPORT FÜR ALLE!
– Kajak
– Orientierungslauf
– Klettern
– Mountainbike
Spaß garantiert!!!

Monika Bergmann (7c)
~~Tom Schlapp (9d)~~

GESUND ESSEN – GESUND KOCHEN
Maximal 30 Teilnehmer!

Elias Fischer (6a)
Theresa Koch (10b)
Felix Krug (5c)

Für eine aktive Pause
Wir wollen auf dem Pausenhof z.B. einen kleinen Fitnessparcours einrichten. Wenn du andere Ideen hast, bist du herzlich willkommen.

Benedikt Schreiner (12a)
Marvin Klug (7d)

3 Pro oder kontra?

a. Sport machen: Ist Kleen dafür oder dagegen?

b. Kleen möchte Thaiboxen lernen. Wie reagiert ihre Mutter? Und crazyone? Und akademikus?

c. Und du? Bist du dafür oder dagegen? Schreib einen Kommentar zu diesem Thema.

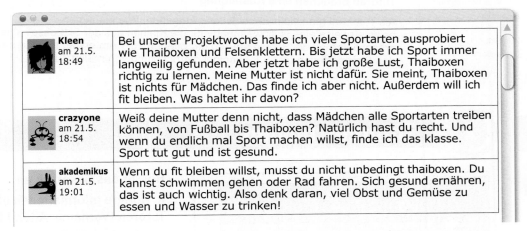

Kleen am 21.5. 18:49	Bei unserer Projektwoche habe ich viele Sportarten ausprobiert wie Thaiboxen und Felsenklettern. Bis jetzt habe ich Sport immer langweilig gefunden. Aber jetzt habe ich große Lust, Thaiboxen richtig zu lernen. Meine Mutter ist nicht dafür. Sie meint, Thaiboxen ist nichts für Mädchen. Das finde ich aber nicht. Außerdem will ich fit bleiben. Was haltet ihr davon?
crazyone am 21.5. 18:54	Weiß deine Mutter denn nicht, dass Mädchen alle Sportarten treiben können, von Fußball bis Thaiboxen? Natürlich hast du recht. Und wenn du endlich mal Sport machen willst, finde ich das klasse. Sport tut gut und ist gesund.
akademikus am 21.5. 19:01	Wenn du fit bleiben willst, musst du nicht unbedingt thaiboxen. Du kannst schwimmen gehen oder Rad fahren. Sich gesund ernähren, das ist auch wichtig. Also denk daran, viel Obst und Gemüse zu essen und Wasser zu trinken!

Zwischenstation

■ **Seine Meinung sagen**

Bildet zwei Gruppen.

Organisiert eine kleine Debatte zu einem bestimmten Thema (Dauern die Sommerferien zu lange? / Beim Brigitte-Sauzay-Programm mitmachen? ...). Gruppe 1 ist dafür. Gruppe 2 ist dagegen.

> **BEISPIEL: Gruppe 1:** Ich finde ...
> **Gruppe 2:** Ja, aber wenn ...

Ich kann's

- ❥ Je comprends des réactions à des propositions qui sont faites.
- ❥ Je sais émettre une hypothèse, parler d'une éventualité.
- ❥ Je sais donner mon avis.
- ❥ Je sais approuver, désapprouver.

Station 2

Die Großen für die Kleinen

1 Das Tutorenteam

a. Schau dir die Webseite an. Wie alt sind die Tutoren ungefähr?

b. Was sind wohl die Aufgaben der Tutoren? Was können sie machen?

BEISPIEL: Tutoren sollen ... Sie können ...

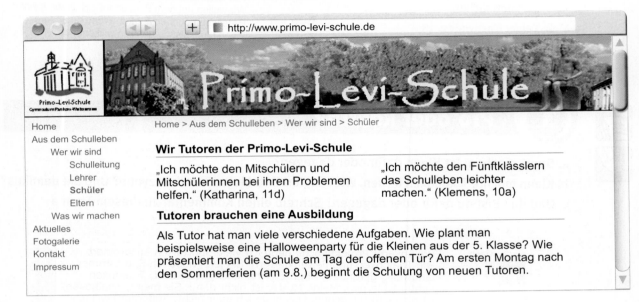

http://www.primo-levi-schule.de

Primo-Levi-Schule

Home | Aus dem Schulleben | Wer wir sind | Schüler

Home
Aus dem Schulleben
  Wer wir sind
    Schulleitung
    Lehrer
    Schüler
    Eltern
  Was wir machen
Aktuelles
Fotogalerie
Kontakt
Impressum

Wir Tutoren der Primo-Levi-Schule

„Ich möchte den Mitschülern und Mitschülerinnen bei ihren Problemen helfen." (Katharina, 11d)

„Ich möchte den Fünftklässlern das Schulleben leichter machen." (Klemens, 10a)

Tutoren brauchen eine Ausbildung

Als Tutor hat man viele verschiedene Aufgaben. Wie plant man beispielsweise eine Halloweenparty für die Kleinen aus der 5. Klasse? Wie präsentiert man die Schule am Tag der offenen Tür? Am ersten Montag nach den Sommerferien (am 9.8.) beginnt die Schulung von neuen Tutoren.

2 Tutorenschulung

Piste 11

Hör dir das Gespräch an.

a. Notiere Informationen über die zwei Tutoren (Vorname, Alter, Klasse, seit wann sie Tutoren sind).

b. Was sind die Aufgaben der Tutoren? Was will das Tutorenteam in diesem Jahr machen?

c. Welche Tipps geben die Tutoren bei der Schulung?

➜ Cahier d'activités p. 20

Sprechtraining

■ [s], [z] ou [ts]
➜ Cahier d'activités p. 21

Piste 12

3 Schüler engagieren sich in der Schule

a. Bildet drei Gruppen. Jede Gruppe liest eine Anzeige.

b. Was machen diese Schüler? Wo und wann kann man sie finden? Jede Gruppe informiert die anderen über ihre Anzeige.

c. Hör dir die Dialoge an. Diese Schüler haben ein Problem. Welche Tipps kannst du geben?

> **BEISPIEL:** Er / sie sollte / sie sollten zu … gehen. Sie sind im Raum … Sie …

➔ Cahier d'activités p. 21

SOS Mathe 2 + 2 = ~~5~~ 4

Probleme in Mathe?
Dann komm doch zu den Mathementoren!

Wer sind wir?
Wir sind eine Gruppe von 15 Schülern aus den Klassen 8–13.

Was machen wir?
Wir betreuen die Hausaufgaben in Mathe und wir geben Nachhilfe.

Wo und wann könnt ihr die Mathementoren finden?
In den Räumen 6, 7 und 8. Jeden Tag in der Mittagspause und nach der 7. Stunde.

Du möchtest Mathementor werden?
Du solltest mindestens in der 8. Klasse sein und Spaß an Mathe haben.

Unter dem Motto „Schüler helfen Schülern" sind wir seit drei Jahren täglich für 1 100 SchülerInnen im Dienst. Wir haben eine Ausbildung gemacht und kooperieren mit dem Deutschen Roten Kreuz. Wir leisten Erste Hilfe, wenn ein Schüler krank wird oder einen Unfall hat. In den großen Pausen findet ihr uns im Sanitätsraum.

Simon Hartmann (10e) und Mona Schramm (12c), Schulsanis

HALLO, WIR SIND DIE SCHÜLERMEDIATOREN!

Wir sind Schüler, die sich für eine positive Atmosphäre in der Schule engagieren.

Unsere Regeln: Wir arbeiten immer zu zweit, wir sind neutral. Wir sorgen dafür, dass jeder seine Meinung sagen kann, und helfen am Ende, eine akzeptable Konfliktlösung zu finden. Wir diktieren aber keine Lösung!

Mediation funktioniert! Wenn es ein Problem gibt, sprecht uns also ruhig an.

Weitere Infos: Das Mediationsbüro ist im ersten Stock. Wir sind dort von Montag bis Donnerstag in der 1. großen Pause.

Vokabeln

| einen Unfall haben | krank sein | sich streiten |

Zwischenstation

■ **Anderen helfen**

a. Was kannst du machen? Wie kannst du anderen helfen? Schreib eine Anzeige.

b. Lies die Anzeigen der anderen Schüler und merk dir ein Maximum an Informationen.

c. Schüler A hat ein Problem. Schüler B gibt Schüler A ein paar Tipps. Spielt den Dialog.

Ich kann's

- ❥ Je comprends le type de service proposé par quelqu'un.
- ❥ Je sais aider quelqu'un en lui apportant les informations dont il a besoin (noms des personnes à qui s'adresser, lieux, horaires).
- ❥ Je sais donner des conseils à quelqu'un.

Station 3

Unsere Schule ist sozial aktiv

1 **Schüler schulen Senioren**

a. Schau dir das Bild an und kommentiere es. Was ist wohl die Aufgabe der Schüler?

b. Hör dir das Gespräch an. Hast du richtig getippt?
Wie finden die Senioren diese Aktion?

c. Lies den Bericht von Anna und Marco. Was haben sie bei der Schulung gemacht?
Wie haben sie die Aktion gefunden?

➔ Cahier d'activités p. 23

Namen: Anna Kowalski und Marco Englert

Kommentar zur Schulung: Nach zwei Nachmittagen mit den Senioren können wir sagen, dass sich unser Bild des Lehrers geändert hat. Für ein paar Stunden Lehrer zu werden ist echt spannend, aber auch ganz schön anstrengend! Es ist gar nicht so einfach, etwas zu erklären! Trotzdem hat uns diese Aktion sehr gut gefallen. Die Senioren wollten die Welt von PC und Internet kennen lernen. Wir haben ihnen dabei geholfen. So hat z.B. Herr Bachler einen Brief an seine Enkelin getippt, Frau Walter und Herr Dolling haben gechattet… Wir haben unsere Aufgabe sehr ernst genommen. Die Senioren waren sehr freundlich, und wir haben mit ihnen sehr viel gelacht. Schade, dass die Aktion so kurz war! Um die Senioren fürs Internet fit zu machen, sollten wir mehr Zeit haben.
Wir möchten noch einmal der Schulleitung danken, dass wir diese Erfahrung machen konnten.

Vokabeln

jemandem etwas *bei*bringen
apprendre quelque chose à quelqu'un
jemandem etwas zeigen
montrer quelque chose à quelqu'un

Sprechtraining

■ L'accent de phrase (1)
➔ Cahier d'activités p. 24

② Unser Sozialpraktikum

a. Lies den Prospekt für das Sozialpraktikum und die Notizen von Stefanie und Moritz.

b. Schreib dann den Sozialpraktikumsbericht von beiden Schülern.

➜ Cahier d'activités p. 24

Willkommen zum Praktikum

Europaklinik
Steinstr. 1
16816 Neuruppin

Das Praktikum: Aufgaben und Erwartungen

- oft Hände desinfizieren
- Zimmer putzen
- Betten machen
- Patienten informieren (Telefon- und TV-Anlage erklären)
- Patienten beim Essen helfen
- Vitalzeichen kontrollieren (Puls, Temperatur usw. messen)
- bei den Visiten zusehen
- Patienten in die Radiologie fahren
- Blutproben ins Labor bringen

Schlusswort

Wir freuen uns auf die kommende Zusammenarbeit. Wir wünschen euch viel Spaß und eine schöne, interessante Zeit in der Europaklinik.

Hier und dort

Bett	bed
Blut	blood
Hand	hand

1. Woche – Frühschicht: 6³⁰ – 14³⁰   *Viel zu früh!!!*
2. Woche – Spätschicht: 11⁰⁰ – 19⁰⁰
2 Pausen = nur 30 Minuten!!!
Team super ☺

• Kontakt mit den Patienten: *Ich hatte zuerst* schwierig, aber faszinierend *Angst!* ☺

• Der Job einer Krankenschwester: gar nicht so einfach + viel Stress

Zwischenstation

■ Projekte in der Schule

Schreibt der deutschen Partnerklasse einen Brief.

a. Informiert euch über ihre Projekte in diesem Jahr.

b. Erzählt von euren Projekten: Was habt ihr gemacht? Wie habt ihr das gefunden?

Ihr könnt eventuell von Projekten sprechen, die ihr machen möchtet.

➜ Cahier d'activités p. 24

Ich kann's

- ↻ Je comprends le contenu d'une action qui a été menée.
- ↻ Je sais rédiger un compte-rendu d'expérience.
- ↻ Je sais faire part des impressions de quelqu'un.

Füreinander!

1 Vertrauensschüler für jüngere Mitschüler

Lies beide Webseiten.

a. Notiere für jede Webseite Informationen über die Schule (Name, Land) und die Schüler (Engagement, Aufgaben).

b. In der Gesamtschule Wilhelm von Humboldt gibt es seit kurzem Schulpräfekten. Wie kann ihre Webseite aussehen? Mach einen Vorschlag.

Beratungsschüler

Damit sich Fünftklässler an der neuen Schule nicht hilflos und verloren vorkommen, stehen Vertrauensschüler als Ansprechpartner bereit. Diese Paten sollen wie ein großer „Bruder" bzw. eine große „Schwester" sein. Die älteren Schüler der Klassen 9 bis 13 engagieren sich für ihre Mitschüler, begleiten sie im 5. und 6. Schuljahr und praktizieren so eine lebendige Schulgemeinschaft. Sie sollen bei Problemen für ihre Klasse da sein und positive Akzente bei der Ausgestaltung von Wandertagen, Schul- und Klassenfesten und anderen Veranstaltungen setzen.

| Home | About Us | Junior School | Senior School | Sixth Form | Former Pupils | Calendar | Members | Contact us | More Links |

You are here: Sixth Form » **senior prefects**

search the site ___ go

print this page

Senior Prefects

King's has a balanced team of Prefects. There are individuals representing different skills, interests and areas within the school who work together for the good of the school and to gain from the experience of **teamwork**.

There are several important general principles which the Senior Prefects follow:

- Be a role model; someone for younger pupils to aspire to be like;
- Guide, advise and care for those in their charge;
- Be fair, just and consistent in dealing with others;
- Show initiative;
- Always be in the right place at the right time.

② Kinder für andere Kinder

Schau dir das Plakat an.

a. Worin besteht die Aktion? Warum heißt sie „Solibrot"?

b. Am Tag der offenen Tür verkaufen Schüler (A) Solibrot. Jemand (B) informiert sich am Stand über diese Aktion und reagiert darauf. Spielt den Dialog.

Vokabeln

etwas backen	
etwas verkaufen	
Geld spenden	*faire un don*
arme Menschen	*des gens pauvres*

WIR VERKAUFEN www.misereor.de

SOLIBROT

MISEREOR
SOLIBROT
Teilen verbindet
www.misereor.de

Die Erlöse aus dem Solibrotverkauf kommen Not leidenden Menschen in Afrika, Asien und Lateinamerika zugute.

Bischöfliches Hilfswerk
MISEREOR e.V.
Mozartstraße 9
52064 Aachen

Spendenkonto 10 10 10
Pax Bank eG
BLZ 370 601 93

MISEREOR
● IHR HILFSWERK

Video Paten für Patenkinder DVD-ROM

Schau dir die Filmszene an.

a. Wie heißen die Paten? Und die Patenkinder?

b. Was möchte Franz wissen? Was will er machen? Wie reagiert Oliver?

c. Oliver trifft sich kurz danach mit seiner Freundin. Er erzählt ihr, wo er mit Franz war und wie er das gefunden hat. Seine Freundin erinnert ihn an seine Aufgaben als Tutor. Spielt den Dialog.

Sprache aktiv

→ Cahier d'activités p. 19
→ Mémento grammatical p. 125

Station 1

1 La proposition subordonnée introduite par *wenn*

• La proposition subordonnée introduite par *wenn* exprime une condition, une éventualité.
Was machen wir, **wenn** das Wetter nicht so schön ist?

• Elle est souvent placée en tête d'énoncé : elle compte alors comme premier élément de la phrase et est immédiatement suivie du verbe de la principale, qui occupe la deuxième position dans la phrase.

         1   2
Wenn du andere Ideen **hast**, **bist** du herzlich willkommen.

1 Réagis à ce que des amis te disent en exprimant une condition.

Ich will fit bleiben (oft Sport treiben müssen) → Wenn du fit bleiben willst, musst du oft Sport treiben.

a. Ich koche sehr gern (bei dem Projekt „Gesund essen – gesund kochen" mitmachen können)
b. Ich habe Fieber (zum Arzt gehen müssen)
c. Ich suche einen Austauschpartner (die Internetseite des DFJW besuchen können)
d. Ich möchte meine Spanischkenntnisse verbessern (jeden Tag Vokabeln lernen müssen)
e. Ich kann mich in einer Stadt sehr schnell orientieren (am Orientierungslauf teilnehmen müssen)

→ Cahier d'activités p. 22
→ Mémento grammatical p. 130, 131, 133

Station 2

1 Le verbe *sollen*

• *Sollen* exprime ce qu'il est recommandé de faire, ce que quelqu'un doit faire dans une situation donnée.
Der Tutor **soll** den jungen Schülern helfen.

• Il s'emploie également pour demander à quelqu'un ce qu'il souhaite que l'on fasse.
Soll ich Ihnen helfen? **Soll** ich die Tür zumachen?

ich soll**Ø**	wir soll**en**
du soll**st**	ihr soll**t**
er / sie / es soll**Ø**	sie / Sie soll**en**

• Au conditionnel (subjonctif II), *sollen* exprime le conseil.
Du **solltest** ihm helfen. (= tu devrais)

ich **sollte**Ø	wir sollt**en**
du sollt**est**	ihr sollt**et**
er / sie / es sollt**e**Ø	sie / Sie sollt**en**

2 Les prépositions suivies du datif

Certaines prépositions sont toujours suivies du datif :
aus (provenance), *bei* (locatif : chez ; temporel : lors de, à), *mit* (avec), *nach* (après), *seit* (depuis), *von* (provenance, appartenance) et *zu* (directif : chez).

2 Un projet nécessite une certaine organisation. Indique la répartition des tâches à effectuer.

Der Schulleiter: die Eltern informieren → Der Schulleiter soll die Eltern informieren.

a. Die Schüler der 6a: mit dem Kunstlehrer ein Plakat zur Projektwoche erstellen
b. Monika Bergmann: Alex vom Kajakclub anrufen
c. Du, Felix: Rezepte für das Projekt „Gesund essen – gesund kochen" im Internet suchen
d. Ihr, Benedikt und Marvin: dem Schulleiter das Projekt „Für eine aktive Pause" präsentieren
e. Ich: mit Elias und Svenja Gemüse und Obst kaufen

3 Complète les déterminants après avoir bien vérifié le genre des mots.

a. Wir möchten mit d... Willy-Brandt-Gesamtschule zusammenarbeiten.
b. Natürlich darfst du bei d... Projekt mitmachen.
c. Wir wollen nach d... Weihnachtsferien das Schulfest organisieren.
d. Diese Information habe ich von d... Lateinlehrerin bekommen.
e. Seit d... 3. Dezember weiß ich, dass wir nächstes Jahr eine Ausbildung machen können.

Station 3

→ Cahier d'activités p. 25
→ Mémento grammatical p. 126 et 128

1 Les déterminants possessifs (pluriel)

possesseur		déterminant possessif
1re personne	wir	**unser** Projekt
2e personne	ihr	**euer*** Projekt
3e personne	sie	**ihr** Projekt
forme de politesse	Sie	**Ihr** Projekt

* prend la forme eur- quand il a une terminaison (wir wollen von eurem Projekt sprechen).

Rappel : Le déterminant possessif prend les mêmes terminaisons que l'article indéfini.
Mein Freund hat uns eingeladen. / **Unser** Freund hat uns eingeladen.
Ich muss **einen** Freund anrufen. / Ich muss **unseren** Freund anrufen.

2 Les pronoms personnels au datif (pluriel)

	nominatif	datif
1re personne	wir	uns
2e personne	ihr	euch
3e personne	sie	ihnen
forme de politesse	Sie	Ihnen

4

Julius veut avoir des précisions. Reprends donc la première phrase en utilisant le déterminant possessif pluriel qui convient.

Wie war dein Sozialpraktikum? – Melanie war auch dabei → Wie war also euer Sozialpraktikum?

a. Deine Idee finde ich originell, Julius – Die Idee ist von mir, aber auch von Lena – Also gut, ...
b. Hat er von seinen Plänen was erzählt? – Sprichst du von Simon und Charlotte? – Genau! ...
c. Wollen wir mit meinem Auto nach Italien fahren? – Seit wann ist das dein Auto? Ich habe doch das Auto mit dir gekauft! – Wollen wir ...
d. Mein Vater ist einverstanden – Du meinst, Schwesterlein, ... Vater ist einverstanden?

5

Complète par le pronom personnel au datif qui convient.

a. Die Kinder waren beim Projekt sehr aktiv. Wir danken ... für ihren großen Einsatz.
b. Wir haben viel gelacht, es hat ... Spaß gemacht.
c. Liebe Frau Hegel, lieber Herr Hegel, ich wünsche ... ein gutes neues Jahr.
d. Wollt ihr schon gehen? Hat es ... wenigstens gefallen?

Vokabeln Kurz und gut

1 Was haltet ihr davon?

an etwas denken
eine Idee haben
einen Vorschlag machen
etwas *vor*schlagen

Das geht nicht.
Ich bin dagegen.
Ich fürchte, das wird ein Flop.

Das finde ich auch.
Das gefällt mir.
Du hast recht.
Ich bin dafür.
Ich bin mit dir einverstanden.

2 Engagier dich!

die Aktion (en)
das Fest (e)
das Projekt (e)

bei einem Projekt *mit*machen
eine Ausbildung machen
eine Erfahrung machen
jemandem für etwas danken

einen Konflikt lösen
jemandem helfen
jemandem Mut machen
jemanden trösten
jemandem Tipps geben
Nachhilfe geben

3 Sei aktiv und kreativ!

ein Theaterstück *auf*führen
eine Hütte bauen
Kostüme nähen
Lieder singen
Masken basteln

ein Picknick organisieren
gesunde Menüs kochen
Kuchen backen
Tische dekorieren

Endstation

Unser Schulfest

Um die Jugendlichen zu motivieren, bietet die Schule oft neben dem Unterricht kulturelle und sportliche Aktivitäten an. So können die Schüler bei AGs mitmachen und sich bei Projekten kreativ zeigen. Ihre Fantasie und ihr Engagement werden auch bei einem Schulfest besonders gefördert.

Schulfest

Liebe Eltern, Schüler und Freunde unseres Haydn-Gymnasiums, am 31. März feiern wir unser traditionelles Schulfest. Es steht dieses Jahr unter dem Motto „Mittelalterlicher Jahrmarkt". Sie sind herzlich eingeladen!

Es gibt Spielstationen für Groß und Klein:

* ein magisches Labyrinth,
* ein Ritterturnier,
* akrobatische Einlagen wie Jonglieren mit Bällen.

Jeder kann mitmachen!

Und auch:

* einen Kräuterstand,
* einen Imbissstand,
* eine Hexen-Bar, wo wir für Sie ganz interessante Cocktails mixen,
* eine Aufführung des Theaterstücks The Dark Lord and the White Witch.

Paul: Guten Tag, was ist „Kräuterhexe" bitte?

Kris: Ein kulinarisches Muss! Brot mit Quark und verschiedenen Kräutern wie Rosmarin, Thymian und Basilikum. Das schmeckt ganz lecker und ist gesund!

Paul: Und „Hau den Lukas"?

Kris: Unsere Spezialität! Eine Art Steak. Wenn Sie hungrig sind, sollten Sie es probieren.

Sehr geehrte Damen und Herren,
wir freuen uns, dass Sie heute alle gekommen sind.
In diesem Jahr möchte die „English Drama Group" dem
Publikum ein Fantasy-Schauspiel von Peter Griffith vorführen.
Das Stück heißt *The Dark Lord and the White Witch*.
Ein Wort zum Bühnenbild: Unsere Eltern haben bei der
Dekoration, den Masken und Kostümen mitgemacht. Hier
danken wir ihnen ganz herzlich. Wir danken auch Frau
Streicher, unserer Englischlehrerin.
Und jetzt: Enjoy the play!

Ich bin Lehrerin am Haydn-
Gymnasium, aber heute auf dem
Schulfest bin ich die Wahrsagerin.
Ich erzähle den Kindern was, ich
gebe ihnen ein paar Tipps. Am Ende
schenke ich ihnen einen Talisman.
Das finde ich lustig!

Alles klar?

1. Was ist das Thema des Schulfestes? Wo und wann findet es statt?
2. Nenne 5 Stationen bei diesem Fest.
3. Was sind die Aufgaben der Schüler beim Schulfest? Und wie machen die Lehrer mit?

Unser Projekt

Bei einem Schulfest mitmachen

Eure Partnerschule organisiert ein Fest der Nationen unter dem Motto „Fünf Kontinente präsentieren sich". Sie möchte, dass ihr bei diesem Fest mitmacht.

1. Bildet Gruppen und denkt euch Stationen aus. Was könnt ihr beim Fest machen (Spielstationen, Stände, Aufführungen)? Listet eure Vorschläge auf.

2. Präsentiert den anderen eure Ideen. Was halten die anderen davon? Diskutiert miteinander.

3. Macht für die Besucher einen Prospekt über das Fest der Nationen.
a. Listet alle Stationen der Klasse auf.
b. Gebt Informationen über eure Stationen.
c. Illustriert eure Texte mit Fotos.

WEBSITES FÜR INFOS
http://www.realschule-plus-idar-oberstein.de/
http://www.stiftsgym-stpaul.at/
http://www.schulelaupen.ch/

→ Cahier d'activités p. 27

1 Nikolausfeier im Seniorenheim

OBJECTIF : Comprendre des informations portant sur une action menée.
OUTILS : Le lexique des activités et des appréciations, les prépositions suivies du datif, le verbe *sollen*.

Écoute attentivement le dialogue.

Peux-tu indiquer :

A1
1. qui est interviewé et de qui cette personne parle ?
2. comment l'action menée a été perçue ?

A2
3. ce qui a été fait lors de ce projet ?
4. ce que la personne interviewée souhaite mettre en place et pourquoi ?

→ Cahier d'activités p. 27

2 Was kann ich machen?

OBJECTIF : Prendre part à une conversation sur les formes d'engagement à l'école.
OUTILS : Le lexique concernant l'aide et la prise de position, les prépositions suivies du datif, le verbe *sollen*, *wenn* conditionnel.

Liebe Tutoren, vergesst unsere nächste Sitzung nicht! Bringt viele Ideen für die Weihnachtsparty mit!

SsS: ganz neu!
Aktion „Schüler schulen Senioren"
Ab März - Freitagnachmittag. Wenn du Interesse hast, melde dich bei Frau Salowski (Informatik).

Schulung der Mediatoren: 10.1. – 12.1.

Schulsanis
Seit 2007 machen wir mit dem Jugendrotkreuz bei der Aktion für Ruanda „Wir messen – Sie helfen" mit. Wollen wir am 15.12 noch einmal mitmachen?

Un élève (A) désire s'engager au sein de son nouvel établissement. Il en discute avec un autre élève (B).

Tu es l'élève A. Peux-tu :

A1+
1. dire ce qui t'intéresse ?

A2
2. demander des renseignements supplémentaires sur les activités présentées ?
3. donner ton avis sur ce qui est proposé ?

Tu es l'élève B. Peux-tu :

A1+
1. indiquer les possibilités offertes par ton école ?

A2
2. donner des informations précises sur les formes d'engagement (mission confiée...) ?
3. orienter l'élève A dans ses choix ?

3

➔ Cahier d'activités p. 28

Sag uns deine Meinung!

OBJECTIF : Comprendre le point de vue de différentes personnes sur des sujets familiers.

OUTILS : Le lexique relatif aux projets et aux actions menés, le lexique des appréciations, *wenn* conditionnel, le verbe *sollen*.

Feedback

Wir wollen es wissen!

Was ist cool? Was fehlt? Schreib uns!

Ich kaufe mir immer eure Zeitschrift. Eure Infos sind super interessant. In der letzten Ausgabe habe ich gelesen, dass immer mehr Leute nicht gesund leben und dass sie z.B. mehr Obst und Gemüse essen sollen. Wenn Obst und Gemüse teurer sind als Chips und Hamburger, ist das irgendwie normal, dass immer mehr Leute gesundheitliche Probleme haben. Schade, dass ihr uns keine weiteren konkreten Tipps zum Gesundleben gegeben habt!

Naomi G., per Mail.

Ein großes Lob an die ganze Redaktion! Der Artikel über Zivilcourage ist echt toll. Ich bin Schülermediator und habe diesen Artikel mit großem Interesse gelesen. Man sollte immer anderen helfen, wenn diese in einer schwierigen Situation sind. Macht weiter so!

Daniel S., Itzehoe.

Lis les deux courriers adressés à la rédaction d'un magazine.

Es-tu capable de repérer :

A1	**1.** le sujet principal de chaque courrier ?
A1+	**2.** l'avis des lecteurs du magazine sur les sujets en question ?
A2	**3.** les recommandations qui sont formulées par les lecteurs ?

 4

➔ Cahier d'activités p. 28

Beratung

OBJECTIF : Réagir aux problèmes de quelqu'un.

OUTILS : Le lexique de la prise de position, le verbe *sollen*.

Ich fühl' mich nicht wohl in meiner Haut. Ich bin dick, finde ich. Seit 24 Tagen mache ich eine Diät, aber das hilft nicht. Ich bin öfter müde, gehe also früh ins Bett, schlafe aber nicht besonders gut. Keiner sieht, was mit mir los ist. Meine Freundinnen und ich waren ein super Team! Jetzt haben sie keine Zeit für mich. Sie ignorieren mich einfach. Was soll ich tun? Bitte helft mir!

Felicia (13)

Réponds au courrier que Felicia a rédigé.
Es-tu capable :

A1	**1.** d'écrire un début de réponse au courrier de Felicia en lui disant que tu vas l'aider ?
A2	**2.** de faire part de ton avis sur les mesures déjà prises par la jeune fille ?
	3. de donner des conseils à Felicia ?

Welches Thema für die Projektwoche?

Frau Beer: Sind alle da? Dann können wir beginnen. Es geht um das Thema der Projektwoche für dieses Jahr. Wer hat einen Vorschlag?

Herr Kovacs: Ich hatte an die Präsentation eines Landes gedacht – eines Entwicklungslandes – Burkina Faso zum Beispiel.

Herr Mauerbach: Nein Herr Kovacs, das geht nicht. Das Thema letztes Jahr war Afrika.

Frau Krüger: Ich finde, wir sollten diesmal etwas ganz anderes machen.

Frau Beer: Du meinst, nichts über einen Kontinent oder ein Land?

Frau Krüger: Ich meine, nichts Kulturelles. Letztes Jahr hatten wir Afrika, das Jahr davor hatten wir Mozart ...

Herr Mauerbach: Was haltet ihr von einer wissenschaftlichen Projektwoche? Einer Mathewoche? Oder einer Physikwoche?

Frau Beer: Ich bin nicht dafür. Die Schüler sollen etwas Neues kennen lernen.

Frau Krüger: Eine Sportwoche wäre interessanter, findest du nicht, Susanne? Ich denke an verschiedene asiatische Kampfsportarten, an Kung-Fu oder Thaiboxen zum Beispiel.

Herr Mauerbach: Ich finde das viel zu brutal, aber ich habe eine Idee! Wie wäre es mit einer Esperantowoche?

Frau Beer: Kannst du Esperanto?

Herr Mauerbach: Nein.

Frau Beer: Ich auch nicht. Ich fürchte, das wird ein Flop.

Frau Krüger: Susanne hat recht. Wir müssen ein bisschen etwas davon verstehen, wenn wir eine ganze Woche ein Thema behandeln.

Herr Kovacs: Gesundheit!

Frau Beer: Wie bitte?

Herr Kovacs: Gesundheit spielt in unserem Leben eine große Rolle. Wenn es das Thema unserer Projektwoche ist, können wir über richtige Ernährung und Sport sprechen.

Frau Beer: Ich bin mit Herrn Kovacs' Vorschlag einverstanden. Gesundheit ist ein sehr wichtiges Thema.

Frau Krüger: Das finde ich auch! Wir können Schnupperkurse in verschiedenen Sportarten anbieten.

Herr Mauerbach: Ich kann mit den Schülern Kalorientabellen erstellen und gesunde Menüs kochen.

Frau Beer: Dann sind wir alle einverstanden? Das Thema der nächsten Projektwoche heißt „Sport und Gesundheit".

Die Lehrer zusammen: Na, prima! Ich hab' schon ganz viele Ideen. Ja, das wird spannend. Ist auch wichtig ...

Tutorenschulung

Martin: Willkommen bei der Tutorenschulung! Ich bin Martin, bin 18 Jahre alt und gehe in die 12a. Ich bin seit zwei Jahren Tutor.

Elena: Hallo, ich heiße Elena, bin 16 und seit einem Jahr Tutorin. Ich bin in der 10b.

Martin: Wir erklären euch heute, was die Aufgaben der Tutoren sind. Also, wir sind da, um den Fünftklässlern das Schulleben leichter zu machen. Wir zeigen ihnen die Schule und erklären ihnen die wichtigsten Regeln.

Elena: Seit drei Jahren organisieren wir am ersten Samstag nach Schulbeginn ein Riesenpicknick im Wald. Jeder bringt etwas zu essen mit. Die Schule stellt die Getränke.

Claudia: Warum macht ihr denn nicht auch Sport mit den Neuen? Sport verbindet.

Martin: Wir waren noch nicht fertig. Wir machen einen Orientierungslauf durch den Wald und ein Volleyballturnier. Zufrieden?

Elena: Tutorin sein ist eine wirklich schöne Aufgabe. Die jungen Schüler vertrauen uns, sie kommen mit ihren Problemen zu uns und wir helfen ihnen.

Martin: Ja? Du hast eine Frage?

Joachim: Was soll ich machen, wenn ein Kleiner weint?

Elena: Du fragst ihn, warum er weint. Oft ist es nur ein bisschen Stress. Dann tröstest du ihn und machst ihm Mut.

Joachim: Und wenn es Streit gibt?

Martin: Dann solltest du versuchen, den Konflikt zu lösen.

Joachim: Hm!

Martin: Mach dir keine Sorgen. Wir geben euch jetzt ein paar Tipps, wie ihr in den verschiedenen Situationen handeln sollt.

Schüler schulen Senioren

Herr Bachler: Fräulein, bitte! Was muss ich tun, wenn ich meinen Text speichern will?

Anna: Das ist nicht schwierig. Sie klicken mit der Maus auf „Datei"... Und jetzt auf „speichern".

Herr Bachler: Ganz einfach, in der Tat. Soll ich dem Text einen Namen geben?

Anna: Natürlich.

Herr Bachler: Wie soll ich ihn nennen?

Anna: Das weiß ich nicht. Was ist es denn?

Herr Bachler: Es ist ein Brief an meine Enkelin Rosa.

Anna: Dann nennen Sie ihn „Rosa".

Herr Bachler: Die Idee gefällt mir.

Reporter: Alles in Ordnung? Sind Sie mit Ihrem Lehrgang und mit Ihren Lehrern zufrieden?

Herr Bachler: Oh, ja! Ich finde es wunderbar, von jungen Menschen etwas zu lernen. Und Informatik ist interessant. So bleibe ich „technisch fit".

KAPITEL 3 Brücken verbinden

Basel

Je vais apprendre à...

 Écouter
- Comprendre un horaire.
- Comprendre une annonce dans un train.

 Lire
- Comprendre l'essentiel d'un texte informatif.
- Comprendre un complément d'information ou une rectification.

 Parler en continu
- Comparer deux choses ou deux propositions.
- Dire où je suis et où je vais.
- Décrire un trajet en train.

 Parler avec quelqu'un
- M'informer à un guichet de gare.
- Justifier mes préférences.
- Indiquer un horaire et un prix.
- Qualifier un événement ou une chose.

 Écrire
- Transmettre des informations en allemand à partir d'un document français.

Unser Projekt

> Organiser une rencontre franco–allemande à Freudenstadt.

Station 1

Treffpunkt Europabrücke

Piste 15

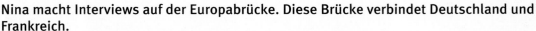

1 Drei Interviews

Nina macht Interviews auf der Europabrücke. Diese Brücke verbindet Deutschland und Frankreich.

a. Schau dir das Bild an. Warum interviewt Nina diese Personen? Welche Fragen stellt sie wohl?

b. Hör dir die Interviews an. Was erfährst du über Antoine, über Madame Meinhard und über Nele?

➔ Cahier d'activités p. 29

Vokabeln

die Brücke	tanken
die Grenze	Kinder hüten
das Benzin	

Sprechtraining

■ L'accent d'insistance

➔ Cahier d'activités p. 30

Élève
Piste 16

2 Wer die Wahl hat ...

a. Lies die Kursangebote von Straßburg und Kehl. Was kann man dort machen? Wann?

b. Vergleiche nun die Kursangebote von beiden Städten.

> BEISPIEL: Die Sprachkurse sind nicht so teuer wie ...

c. Hör dir die Aufnahmen an. An welchem Kurs möchten die Jugendlichen teilnehmen? Warum?

Kehl — KURSANGEBOTE

ŞEI KREATIV!

Keramik-Workshop
Hier lernst du die wichtigsten Techniken des Töpferns kennen.
Mi. 15:00 - 16:30 Uhr, 95 Euro

Chor
Wir singen gemeinsam deutsche und französische Lieder.
Mi. 14:00 - 16:00 Uhr, 40 Euro

Filmstudio
Videomontage machen (mit Profi-Tipps!)
Fr. 15:30 - 17:30 Uhr, 140 Euro

Straßburg

Fitness für Körper und Gehirn!

Sprachkurse
Chinesisch – Mo. 17:30 - 19:00 Uhr, 40 €
Italienisch – Di. 16:30 - 18:00 Uhr, 40 €
Russisch – Fr. 17:00 - 18:30 Uhr, 40 €

Theaterkurs
Di. und Fr. 19:00 – 21:00 Uhr, 75 €

Zirkuskunst (jonglieren, Einrad und Akrobatik lernen ...)
Mi. 15:30 – 17:30, 120 €

---

3 Wo bleibst du denn?

Hör dir die Nachrichten auf dem Anrufbeantworter an.

a. Wo befinden sich die Personen?

b. Wohin wollen sie dann gehen?

> BEISPIEL: Die Person 1 ist ... Sie geht dann ...

→ Cahier d'activités p. 30

Vokabeln

die Bibliothek	die Boutique
die Disco	die Pizzeria
das Einkaufszentrum	
die Eisdiele	

Zwischenstation

Ich kann's

■ Etwas zu zweit organisieren

a. Welche Aktivitäten könnt ihr in eurer Stadt machen (Wo? Wann? Um wie viel Uhr? ...)

b. Diskutiert zu zweit über dieses Angebot. Was möchtet ihr zusammen machen? Warum?

> BEISPIEL: Ich möchte gern Taekwondo machen, das ist bestimmt lustig. Machst du mit?
> – Ja gern, aber ... / Nein, ...

- ↻ Je sais comparer deux choses ou deux propositions.
- ↻ Je sais justifier mes préférences.
- ↻ Je sais rectifier une information.
- ↻ Je sais dire où je suis et où je vais.

Treffpunkt Freundschaftsbrücke

1 Ein MOSA*-Ausflug

Piste 17

a. Schau dir das Bild und die Karte an. Wer sind wohl Florian, Rémi und Klara? Wo leben sie? Was haben sie vor?

b. Hör dir nun den Dialog an. Was wollen sie organisieren? Wann und wo treffen sie sich? Wie fahren sie hin? Wann fahren sie zurück?

➔ Cahier d'activités p. 32

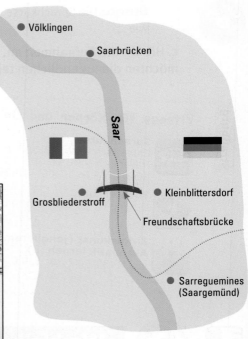

- Völklingen
- Saarbrücken

Saar

Grosbliederstroff ● ● Kleinblittersdorf

Freundschaftsbrücke

● Sarreguemines (Saargemünd)

*MOSA ist ein Kooperationsprojekt für grenznahe Schulen im französischen département MOselle und im SAarland.

Vokabeln

der Ausflug	*l'excursion*
die Ausstellung	*l'exposition*
der Bahnhof	*la gare*
das Stahlwerk	*l'aciérie*

Hier und dort

Brücke	bridge
Freundschaft	friendship
Preis	price
Stahlwerk	steelwork
nächste Woche	next week

Sprechtraining

■ [a] ou [aː]
➔ Cahier d'activités p. 33

Piste 18

2 Sich am DB-Service Point informieren

Du bist in Saarbrücken und willst eine Reise machen. Spielt den Dialog zu zweit.

Beispiel: **Schüler A:** Um wie viel Uhr fährt der Zug nach Frankfurt ab?
Schüler B: Der Zug fährt um 10:59 Uhr ab.

➔ Cahier d'activités p. 33

DB Service Point

Saarbrücken Hbf*	Zeit	Umsteigen in	Dauer	Gleis	Preis
Berlin Hbf	ab 07:40			3	
	an 09:10			4	
	ab 09:31	Mannheim Hbf	6:39	2	127,00 EUR
	an 14:19			12	
München Hbf	ab 08:59			8	
	an 10:16			4	
	ab 10:31	Mannheim Hbf	4:31	2	92,00 EUR
	an 13:30			11	
Hamburg Hbf	ab 09:40			5	
	an 11:10			4	
	ab 11:16	Mannheim Hbf	5:54	3	122,00 EUR
	an 15:34			13	
Karlsruhe Hbf	ab 10:57		1:54	4	39,00 EUR
	an 12:51			6	
Frankfurt (Main) Hbf	ab 10:59		2:01	7	47,00 EUR
	an 12:58			5	

Vokabeln

*ab*fahren
*an*kommen
*um*steigen

* Hbf (der Hauptbahnhof): *la gare centrale*

3 Im Zug

Hör dir die Durchsagen im Zug an.

a. Was für Informationen bekommen die Fahrgäste?

b. Wo kommt der Zug an? Um wie viel Uhr?

➔ Cahier d'activités p. 33

Zwischenstation

■ **Eine Reise nach Deutschland planen**

Du willst mit einem Freund / einer Freundin nach Deutschland fahren. Wählt eine Stadt und organisiert zu zweit die Fahrt.

Wann fährt euer Zug ab? Um wie viel Uhr kommt ihr an? Wie viel kostet die Fahrkarte? Stellt der Klasse die Fahrt vor.

http://www.bahn.de

Ich kann's

↻ Je comprends et je sais indiquer un horaire, un prix.

↻ Je comprends une annonce dans un train.

↻ Je sais préparer un trajet en train.

Kulturbrücken

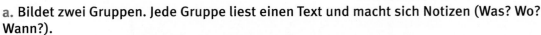
1 **Kultur ohne Grenzen**

a. Bildet zwei Gruppen. Jede Gruppe liest einen Text und macht sich Notizen (Was? Wo? Wann?).

b. Informiert die andere Gruppe über euren Text.

➔ Cahier d'activités p. 35

A **OBERRHEINISCHER MUSEUMS-PASS**

Ein trinationaler Museumspass

Große Kunstwerke in Basel? Die Welt der Technik in Mülhausen? Oder doch lieber Archäologie in Freiburg?

Besuchen Sie spannende Ausstellungen, besichtigen Sie romantische Schlösser, oder gehen Sie ins Museum, um Ihre Lieblingsgemälde zu bewundern …

Der Oberrheinische Museums-Pass ist eine Eintrittskarte für über 180 Museen in Deutschland, Frankreich und in der Schweiz. Der Pass kostet nur 69 Euro für ein ganzes Jahr, und bis zu fünf Kinder unter 18 Jahren können gratis mit.

B

D as Stimmen-Festival von Lörrach ist ein internationales Festival für Gesang und Chormusik. Das Stimmen-Festival findet jährlich im Juli statt und ist seit 1994 immer ein großer Erfolg. Es ist ein Kulturereignis[1] in der ganzen Region am Oberrhein, denn das Festival findet nicht nur in Lörrach statt, sondern auch in der Schweiz (Augst) und in Frankreich (Guebwiller).

Internationale Stars der Jazz-, Pop- und Rockszene, klassische Musik, Chorgesänge, Musik aus der ganzen Welt: Das Stimmen-Festival ist immer ein großes musikalisches Erlebnis[2].

1. événement culturel
2. un grand moment musical

Sprechtraining

■ **Sprachbrücken**
➔ Cahier d'activités p. 36

Élève
Piste 19

2 Ein Festival für Theateramateure

a. Lies folgende Informationen über das internationale Theaterfestival in Saint-Louis.

b. Mach dir Notizen und schreib einen kurzen Artikel auf Deutsch, um das deutsche Publikum zu informieren.

➔ Cahier d'activités p. 36

La ville de Saint-Louis (en Alsace, à côté de la frontière suisse) organise un festival international de théâtre amateur. Les acteurs viennent non seulement de France, mais aussi d'Allemagne, de Suisse – de toute l'Europe ! Une somme de 1 500 euros récompense la meilleure troupe.
Le festival Theatra est toujours un grand succès.

3 Ein Fragespiel

Such dir ein grünes und ein blaues Kärtchen aus. Stell dann deinen Mitschülern eine Frage.

BEISPIEL: Schüler A: Kennst du eine italienische Spezialität?
Schüler B: Ja, die Pizza!

Zwischenstation

■ **Ein Kulturereignis vorstellen**

a. Schreibt zu zweit einen kurzen Artikel über ein Kulturereignis in eurer Stadt oder in eurer Region.

b. Illustriert euren Artikel mit Fotos.

c. Präsentiert euren Artikel der Klasse.

Ich kann's

✔ Je comprends l'essentiel d'un texte informatif.

✔ Je sais qualifier un événement ou une chose.

✔ Je sais transmettre des informations en allemand à partir d'un document français.

Elsässisch für Anfänger

Im Elsass und im nordöstlichen Teil Lothringens sprechen ungefähr 700 000 Personen einen deutschsprachigen Dialekt. Es gibt natürlich viele Varianten.

1 Auf der Straße in Straßburg

In Straßburg trifft Léa Herrn Striebig, einen ehemaligen Lehrer.

a. Hör dir den Dialog auf Elsässisch an. Welche französischen Wörter erkennst du?

b. Wie alt ist Léa? Wo wohnt sie? Was will Herr Striebig jetzt machen?

c. Schreib das erste Kapitel eines deutsch-elsässischen Sprachführers. Unten findest du die elsässischen Ausdrücke.

> **BEISPIEL:** Bonjour! Wie heisch Dü?
> → Guten Tag! Wie heißt du?

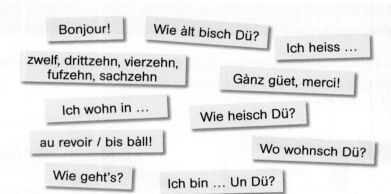

Bonjour!

Wie àlt bisch Dü?

Ich heiss …

zwelf, drittzehn, vierzehn, fufzehn, sachzehn

Gànz güet, merci!

Ich wohn in …

Wie heisch Dü?

au revoir / bis bàll!

Wo wohnsch Dü?

Wie geht's?

Ich bin … Un Dü?

2 Ein elsässischer Autor: Tomi Ungerer

a. Lies Tomi Ungerers Biografie.

b. Wie alt ist Tomi Ungerer? Wofür ist er bekannt? Was verbindet ihn mit dem Elsass?

Tomi Ungerer (geb. 1931 in Straßburg) ist ein international bekannter Grafiker, und Illustrator von Bilderbüchern für Kinder und Erwachsene. Er spricht Französisch, Deutsch, Englisch und natürlich Elsässisch, die Sprache seiner Kindheit. 1961 schrieb er das Kinderbuch *Die drei Räuber*. 2007 verfilmte der Regisseur Hayo Freitag Tomi Ungerers Märchen. 2008 wurde *Die drei Räuber* ins Elsässische übersetzt.

3 Die drei Raiwer

Schau dir das Cover vom Märchen an. Wer sind diese drei Figuren?
Wie sehen sie aus? Stell Hypothesen auf.

Die drei Räuber

Es waren einmal drei grimmige Räuber mit weiten schwarzen Mänteln und hohen schwarzen Hüten.

In der Nacht, wenn es dunkel war, lagen sie am Wegrand auf der Lauer.

Der Erste hatte eine Donnerbüchse. Der Zweite hatte einen Blasebalg mit Pfeffer. Der Dritte hatte ein riesiges rotes Beil.

Wenn sie auftauchten, fielen die Frauen um vor Angst, […] und selbst die mutigsten Männer ergriffen die Flucht.

Es waren schreckliche Kerle.

aus: Tomi Ungerer Die drei Räuber, Deutsch von Tilde Michels
Copyright © 1963 Diogenes Verlag AG Zürich

Die drei Raiwer

Es sinn emol drei wieschti raiwer gsinn, mit lange schwarze mäntel un grosse schwarze hüet.

In de nacht, wenn's fascht dunkel wore isch under'm mond, sinn se versteckelt gebliwwe am strosserand.

De erscht het e donnerbichs ghet, de zweit a blosbalig mit pfeffer, un de dritt e riesigs rots bejel.

Wenn se se gsähn han, sinn d'fraue üs schreck in ohnmacht gfalle, […] un sogar d'dapferschte männer sinn abg'haue. […]

Sie han in alle angscht gemacht.

aus: Tomi Ungerer Die drei Raiwer, Elsässisch von Robert Werner
Copyright © 2008 La Nuée Bleue

 **Video** Die drei Räuber

a. Im Prolog des Films liest Tomi Ungerer den Anfang der Geschichte. Was erfahren wir über die drei Räuber? Wie ist die Atmosphäre dieser Szene?

b. Lies den Anfang des Märchens, zuerst auf Deutsch, dann auf Elsässisch. Hör dir auch die elsässische Version an. Vergleiche beide Texte. Welche Wörter erkennst du?

c. Beschreib das Plakat zum Film. Was ist jetzt anders? Wie geht die Geschichte wohl weiter?

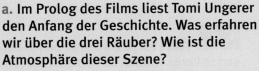

Sprache aktiv

→ Cahier d'activités p. 31
→ Mémento grammatical p. 124 et 129

Station 1

1 La négation partielle

La négation partielle ne porte que sur un élément de la phrase. *Nicht* (ou *kein* pour un groupe indéfini) se place devant l'élément que l'on veut nier et c'est cet élément qui est accentué. Souvent, on rectifie l'information en utilisant la conjonction *sondern*.
Er fährt **nicht** nach Kehl, **sondern** nach Straßburg.
Das ist **kein** Dorf, **sondern** eine richtige Stadt.
In Deutschland sind **nicht nur** Videospiele billiger, **sondern auch** CDs.

2 Le comparatif d'égalité ou d'infériorité

• Pour exprimer l'égalité, on utilise *so ... wie*.
Cola ist **so** teuer **wie** Limo.

• Pour exprimer l'infériorité, on ajoute la négation *nicht*.
In Deutschland sind Videospiele **nicht so** teuer **wie** in Frankreich.

1 Transforme les phrases comme dans l'exemple.

Antoine hat viele Freunde in Kehl. (Er hat auch viele Freunde in Straßburg.) → *Antoine hat nicht nur in Kehl, sondern auch in Straßburg viele Freunde.*

a. Die Freunde in Kehl trainieren am Montag.
(Sie trainieren auch *am Mittwoch.*)
b. Madame Meinhard kauft Biogemüse.
(Sie kauft auch *Biokäse.*)
c. Neles Freund spricht Französisch.
(Er spricht auch *Deutsch.*)

2 Compare les éléments donnés en utilisant le comparatif d'égalité ou d'infériorité.

a. Eine Reise durchs Elsass (240 €) – eine Reise nach Venedig (580 €) / teuer
b. Nele (19) – ihr Freund (19) / alt
c. Konserven – Biogemüse / gesund
d. Fußballtraining am Montagnachmittag – Fußball-training am Mittwochnachmittag / praktisch

→ Cahier d'activités p. 34
→ Mémento grammatical p. 129, 130 et 124

Station 2

1 Les compléments obligatoires du verbe

Certains compléments prépositionnels sont obliga-toires. Leur suppression rend la phrase incompré-hensible ou en modifie entièrement le sens.
in Kehl wohnen (locatif) → Er wohnt in Kehl.
De même : *mit dem Zug fahren* (moyen) / *nach Mün-chen fahren* (directif) / *aus Kehl kommen* (prove-nance) / *über Mannheim fahren* (passage).

2 Les verbes à préverbe séparable

Les préverbes séparables précisent ou modifient le sens d'un verbe simple.
fahren → *ab*fahren
Ich fahre um 9:00 Uhr ab. (éloignement)
steigen → *um*steigen (changement)
kommen → *an*kommen (contact, arrivée)
⚠ *mitbringen* → *mit***ge**bracht

3 Complète les phrases avec les prépositions suivantes.

mit – nach – über

Rémi fährt zuerst ... dem Fahrrad ... Kleinblittersdorf. Dann fährt er ... der S-Bahn ... Saarbrücken und nimmt den Zug. Der Zug fährt ... Völklingen ... Saar-louis.

4 Tout s'est passé comme prévu ! Raconte au parfait l'organisation de l'excursion à Völklingen. (Vérifie les participes II aux pages 133 et 134.)

Die beiden Klassen ...

a. Um 9:24 Uhr von Kleinblittersdorf *ab*fahren.
b. Um 9:42 Uhr in Saarbrücken *um*steigen.
c. Um 10:07 Uhr in Völklingen *an*kommen.
d. Um 17:18 Uhr nach Kleinblittersdorf *zurück*fahren.

Station 3

➜ Cahier d'activités p. 37
➜ Mémento grammatical p. 128

1 L'adjectif épithète dans un groupe nominal indéfini (nominatif et accusatif)

En allemand, l'adjectif épithète est toujours placé devant le nom qu'il détermine. Il prend une terminaison.

	nominatif	accusatif
masculin	einØ groß**er** Erfolg	einen groß**en** Erfolg
neutre	einØ international**es** Festival	
féminin	eine individuell**e** Eintrittskarte	
pluriel	Ø international**e** Stars	

• Ces terminaisons sont faciles à mémoriser, car elles sont ici identiques aux marques de genre, de nombre et de cas de ces groupes nominaux.

• On observe d'ailleurs que c'est l'adjectif qui porte cette marque lorsque le déterminant n'a pas de terminaison (*der Erfolg → einØ großer Erfolg*) ou lorsqu'il n'y a pas de déterminant (*die Stars → Ø internationale Stars*).

⚠ Un nom peut être précédé de plusieurs adjectifs épithètes :
einØ groß**es** musikalisch**es** Erlebnis

5 Forme des groupes nominaux à partir des éléments donnés. Vérifie si besoin le genre des mots dans le lexique.

eine Stadt /groß → eine große Stadt

a. ein Zug / modern
b. eine Fahrkarte / billig
c. ein Schloss / romantisch
d. eine Kirche / alt
e. ein Museum / interessant
f. eine Reise / wunderbar

6 Complète les phrases suivantes après avoir vérifié le genre des mots dans le lexique.

a. Die Besichtigung der Völklinger Hütte ist ein… interessant… Ausflug.
b. Rémi und seine Mitschüler haben sich ein… toll… Ausstellung angesehen.
c. Es gibt dort auch ein… groß… Picknickplatz.
d. Alle hatten lecker… Lunchpakete mitgebracht.
e. Das war wirklich ein… schön… Erlebnis.

Vokabeln Kurz und gut

1 mit dem Zug fahren

am Bahnhof

der Hauptbahnhof (Hbf.)
der Zug (¨e)
die S-Bahn (-en)
das Gleis (-e)
der Schalter (-)
der Fahrplan (¨e)
die Durchsage (-n)

reisen

eine Reise organisieren
*ab*fahren
*um*steigen
*aus*steigen
*an*kommen
verspätet sein / Verspätung haben

3 Europa

Deutschland	→	deutsch
England	→	englisch
Frankreich	→	französisch
Italien	→	italienisch
Österreich	→	österreichisch
Spanien	→	spanisch

2 an der Grenze wohnen

die Grenze (-n)
die Grenzstadt (¨e)
die Fremdsprache (-n)
die Brücke (-n)

das Dreiländereck: Frankreich – Deutschland – die Schweiz
das Elsass
Lothringen
das Saarland

der Rhein
die Mosel
die Saar

Endstation

Ein deutsch-französisches Treffen

Eine deutsch-französische Gruppe trifft sich in Saarbrücken, um die Region Saar-Lor-Lux (Saarland, Lothringen, Luxemburg) gemeinsam zu entdecken. Wie organisieren sie dieses Treffen?

Hier ist unser Programm! Haben wir das nicht prima organisiert?

On est les rois de l'organisation ! Regardez !

Fr 14.5.	• Treffpunkt: Europa-Jugendherberge Saarbrücken - gemeinsames Abendessen
Sa 15.5.	• Stadtrundgang in Saarbrücken: Schlossplatz - Rathaus - Stiftskirche St. Arnual ... • Grillparty ab 19 Uhr in der Jugendherberge
So 16.5.	• Saarbrücker Stadtrundweg: Ganztagsausflug, Spaziergang im Wald, Picknick
Mo 17.5.	• Ausflug nach Saargemünd: Keramikmuseum, Fahrradtour entlang der Blies
Di 18.5.	• Ausflug zur Völklinger Hütte • Abschiedsfest ab 18 Uhr in der Jugendherberge

Saarbrücken ist eine deutsche Großstadt im Grünen. Kultur, Sport oder Natur, in der Stadt an der Saar gibt es viel zu tun. Saarbrücken ist auch eine große Einkaufsstadt: Täglich kommen Leute nicht nur aus dem ganzen Saarland, sondern auch aus Lothringen und Luxemburg.

Weltkulturerbe Völklinger Hütte

Die Völklinger Hütte ist ein Symbol der Hochindustrialisierung im Saarland. Sie wurde deshalb im Jahre 1994 Weltkulturerbe der Unesco. Heute ist die Völklinger Hütte das größte, komplett erhaltene Stahlwerk aus dem 19. Jahrhundert und ist ein europäisches Zentrum für Kunst und Industriekultur.

Saargemünd, die Stadt der Keramik

Die hübsche Stadt Saargemünd in Frankreich ist so dynamisch wie Saarbrücken und liegt am Zusammenfluss von Saar und Blies, direkt an der deutsch-französischen Grenze in Lothringen.

Die weltbekannte Keramik-Produktion von Saargemünd ist eine 200 Jahre alte Tradition. Das berühmte „Casino" ist kein normales Spielcasino, sondern ein Kulturort mit Dekorationen aus Keramik auf der Fassade.

Das Casino

Das Keramikmuseum

Alles klar?

1. Was kann man in Saarbrücken machen?

2. Was war früher die Völklinger Hütte? Und jetzt?

3. Wo liegt Saargemünd? Was ist typisch für Saargemünd?

Unser Projekt

Ein deutsch–französisches Treffen in Freudenstadt organisieren

Ihr verbringt vier Tage in der Jugendherberge in Freudenstadt.

1. Sammelt Informationen über Freudenstadt, Straßburg und Karlsruhe.

2. Stellt das Programm des Treffens zusammen: Aktivitäten in Freudenstadt, Tagesausflüge nach Straßburg und Karlsruhe.

WEBSITES FÜR INFOS

http://www.freudenstadt.de/
http://www.otstrasbourg.fr/
http://www.karlsruhe-tourism.de/

Jetzt kannst du's!

Vers la validation **A2**

Classe

→ Cahier d'activités p. 39

1 Am Schalter

OBJECTIF : Comprendre des informations concernant un trajet.
OUTILS : Le lexique lié à un trajet en train, les horaires, les compléments obligatoires du verbe.

Écoute attentivement le dialogue.
Es-tu capable d'indiquer :

A1	1.	où Max veut se rendre et quel jour il veut partir ?
	2.	l'heure de départ de son train ?
A1+	3.	l'heure d'arrivée à destination ?
	4.	le prix du billet ?
A2	5.	le problème qui se pose à Max ?

→ Cahier d'activités p. 39

2 Was gefällt dir besser?

OBJECTIFS : Comparer deux propositions et faire un choix.
OUTILS : Le comparatif, la subordonnée introduite par *weil*.

ZIRKUS ALFREDO
am 6. Februar
Ab 17:30 Uhr am Zeltplatz

Es erwarten euch viele
Attraktionen!

• Bimba und ihr Dromedar
• Zingarella, die Frau mit der magischen Stimme
• Akrobatik mit den Brüdern Topawski

Viel Spaß für Groß und Klein!

Eintritt: 14 €, Kinder unter 10: 9 €

THEATER 4U
präsentiert
Die Theaterfreaks
in
Tante Elsa und ihr Avatar
Eine Komödie für die ganze Familie!

Sa 06.02. 19:30
So 07.02. 15:30

Kartenreservierung 0235 – 390 15 38
Erw.: 13 €, Jugendliche bis 14: 9 €

On te propose de choisir un de ces deux spectacles.
Es-tu capable :

A1	1.	d'identifier le genre de chaque spectacle ?
	2.	de comparer leurs horaires et leurs prix ?
A2	3.	de dire à quel spectacle tu préférerais assister ?
	4.	de donner un argument pour justifier ton choix ?

→ Cahier d'activités p. 40

3 Einmaliges Ereignis in Stiring-Wendel

OBJECTIF : Comprendre une critique de spectacle.
OUTILS : La négation partielle, les verbes à préverbe séparable.

Am 25. Juli 2009 hat Patricia Kaas zum ersten Mal in Stiring-Wendel, der Stadt ihrer Kindheit, gesungen. Madame Kaas ist ein Kind der deutsch-französischen Grenze: Die Mutter war Deutsche, der Vater Franzose. Patricia Kaas begann ihre Karriere schon als kleines Mädchen in Saarbrücken.

Der Weltstar hat nicht nur alte Songs, wie „Mademoiselle chante le Blues", sondern auch Lieder aus ihrem neuen Album „Kabaret" mitgebracht. Ihre Show und ihre Stimme haben das Publikum begeistert.

Sie hat das Konzert mit dem Superhit „Fille de l'Est" beendet, einer Hymne an Lothringen. Das Publikum hat natürlich mitgesungen und nach Zugabe gerufen.

Sie ist nach dem Konzert in die Schweiz zurückgefahren, wo sie seit 2000 lebt.

**Lis cet article de presse.
Es-tu capable :**

A1
1. de dire où et quand le concert a eu lieu ?
2. de parler de la famille de Patricia Kaas ?

A1+
3. de parler des débuts de Patricia Kaas dans la chanson ?
4. d'indiquer où habite Patricia Kaas aujourd'hui ?

A2
5. d'indiquer en quoi ce concert est exceptionnel ?
6. de citer trois éléments qui ont enthousiasmé le public ?

→ Cahier d'activités p. 40

4 Die Schule informiert

OBJECTIF : Décrire un projet de sortie.
OUTILS : Les compléments obligatoires du verbe, les compléments de temps, le verbe de modalité *sollen*, la négation partielle.

Mo 12.4.
8b
Geschichte / Kunst
Frau Ritter
Monsieur Scellier
Saarlouis (Museum)
Treffpunkt > S-Bahn Station
8:30* - 17:00
*geändert: 8:20
Lunchpaket!

Lis les renseignements dont dispose le directeur de la *Realschule* de Kleinblittersdorf au sujet de la prochaine sortie scolaire.

Es-tu capable de rédiger un court texte pour informer les parents :

A1+
1. du lieu de la visite ?
2. du lieu de rendez-vous ?

A2
3. de l'horaire de départ et d'arrivée ?
4. des conseils et des recommandations ?

Drei Interviews

Nina: Wir sind Schüler aus Kehl und haben Leute auf der Europabrücke gefragt, was es für sie bedeutet, an einer Grenze zu wohnen. Hier ein paar interessante Antworten:

Antoine: Salut ! Ich bin Antoine und wohne in Straßburg. Deutsch ist meine erste Fremdsprache. Wir haben eine Partnerklasse in Offenburg. Manchmal machen wir einen Tagesausflug dahin, oder die Offenburger kommen einen Tag zu uns. Ich finde das super!
Ich habe auch Freunde in Kehl. Sie haben montags und mittwochs von zwei bis vier Fußballtraining. Ich kann leider nur am Mittwoch mitmachen. Meine Mutter fährt mich hin. Sie geht dann immer tanken, weil Benzin in Deutschland oft billiger ist. Nicht nur Benzin, sondern auch Videospiele und CDs sind nicht so teuer wie in Frankreich, und das ist für mich besonders interessant!

Madame Meinhard: Bonjour. Ich bin die Madame Meinhard, eine echte Elsässerin. Ich spreche Elsässisch, Französisch und Deutsch. Meine ganze Familie kommt aus Straßburg. Ich fahre oft nach Kehl zu meiner Tochter Camille. Die ist mit einem Deutschen verheiratet. Einmal im Monat führt sie Touristengruppen eine Woche durchs ganze Elsass. Da fahre ich zu ihr und hüte meine Enkelkinder. Ich gehe dann immer auf dem Biomarkt „Kommissione mache" – äh, einkaufen. Biogemüse schmeckt mir besser, es ist gesünder und in Deutschland billiger als bei uns.

Nele: Hi! Ich bin Nele und studiere in Straßburg. Ich komme aus Frankfurt an der Oder, einer anderen Grenzstadt. Ich bin mit dem Erasmus-Programm hergekommen und dann wollte ich nicht mehr weg! Ich bin also hier in Straßburg geblieben. Mir gefällt der permanente Austausch zwischen beiden Ländern, nicht nur zwischen beiden Sprachen, sondern auch zwischen beiden Kulturen. Mein Freund ist Franzose. Er kommt aus Forbach und kann super Deutsch. Ich habe ihn bei einem Fahrradunfall auf der Mimrambrücke kennen gelernt. Ich finde, hier bedeutet Europa wirklich etwas. Hier fühlt man sich eben als … Europäer!

Ein MOSA-Ausflug

Florian: Also, nächste Woche haben wir einen MOSA-Ausflug. Unsere Klassen fahren nach Völklingen, um die Völklinger Hütte zu besichtigen. Morgen sollen wir unseren Lehrern in Frankreich und in Deutschland erklären, wie wir das organisieren. Habt ihr was mitgebracht?
Rémi: Ja, ich habe die Öffnungszeiten und Eintrittspreise. Die Völklinger Hütte ist täglich von 10 bis 18 Uhr geöffnet. Der Eintritt kostet für Schüler 10 Euro.
Florian: 10 Euro!
Rémi: Ja, aber für den Preis besichtigen wir die Industrieanlage und die Ausstellung „Dein Gehirn".
Klara: Okay. Ich habe den Fahrplan mitgebracht. Also ich denke, das Beste ist, wir treffen uns auf der Freundschaftsbrücke und gehen dann alle zum Bahnhof in Kleinblittersdorf. Wir müssen die Stadtbahn nach Siedlerheim um 9:24 Uhr nehmen. Die hält um 9:42 Uhr in Saarbrücken, Johanneskirche. Da müssen wir zum Bus Nr.110, Station Rathaus. Der Bus fährt um 9:44 Uhr ab und kommt um 10:07 Uhr in Völklingen Weltkulturerbe an.
Rémi: Zwei Minuten zum Umsteigen. Ist das nicht zu kurz?
Klara: Nein. Die Station heißt Rathaus, das ist aber gleich neben der S-Bahn.
Florian: Okay. Wir fahren um 9:24 Uhr in Kleinbli ab. Wann sollen wir uns da treffen? Um neun?
Rémi: Ich denke, das ist früh genug.
Klara: Karim und Benoît kommen immer zu spät. Wir sollten ihnen auf jeden Fall zehn vor neun sagen.
Florian: Hm... Also am besten alle um zehn vor neun auf der Freundschaftsbrücke, dann um 9:24 Uhr die S-Bahn. Die Völklinger Hütte ist ab zehn Uhr geöffnet, wir kommen um 7 nach 10 an. Das ist perfekt.
Frau Sucher: Ich habe etwas von Völklinger Hütte gehört?
Klara: Ja. Unsere beiden Klassen besichtigen sie nächste Woche.
Frau Sucher: Das ist ein interessanter Ausflug. Die Völklinger Hütte war eines der größten Stahlwerke Deutschlands. Dein Großvater hat dort gearbeitet, Florian.
Florian: Ich weiß, Mama.
Frau Sucher: Ich habe euch frische Limonade zubereitet.
Klara: Danke! Apropos Limo, wir müssen Lunch-pakete mitnehmen. Die haben dort einen tollen Picknickplatz. Wir besichtigen die Industrieanlage am Vormittag, dann essen wir und am Nachmittag sehen wir uns die Ausstellung an.
Rémi: Und wann geht ein Bus zurück?
Klara: Um 17:18 Uhr.
Florian: Das haben wir prima organisiert!

Eine Stadt für uns

Blumen-Tram in München

Je vais apprendre à...

 Écouter
- Comprendre la présentation d'un quartier, ses avantages et ses inconvénients.
- Comprendre des arguments pour ou contre un projet.

 Lire
- Comprendre des annonces immobilières.
- Comprendre de brèves interviews dans un journal.
- Comprendre les informations essentielles d'une lettre officielle.

 Parler en continu
- Commenter simplement les résultats de statistiques ou de sondages.

 Parler avec quelqu'un
- Donner mon avis sur une ville ou un quartier.
- Défendre un projet en donnant des arguments.

 Écrire
- Décrire mon quartier.
- Écrire un court article de journal.
- Élaborer un sondage.
- Rédiger une lettre pour présenter un projet.

Unser Projekt

 Imaginer et présenter le plan de son quartier idéal.

Sag mir, wo du wohnst

1 **Wir leben in Jena und es gefällt uns!**

a. Schau dir die Fotos an.
Welche Wohnformen siehst du? Wo liegen diese Häuser? Wie sehen die Gebäude aus?

b. Hör dir die Sendung an.
Wer wohnt wo? Welche Indizien auf den Fotos können dir helfen?

c. Welche Vorteile haben diese Wohnformen? Welches sind die negativen Aspekte?

➔ Cahier d'activités p. 41

Piste 20

Hier und dort

laut	loud
Garten	garden
Haus	house
Nachbar	neighbour

Vokabeln

der Altbau
das Einfamilienhaus
die Wohnsiedlung
die Altstadt
die Innenstadt
das Stadtzentrum
der Stadtrand

Sprechtraining

■ **L'accent de phrase (2)**
➔ Cahier d'activités p. 42

Piste 21

(2) **Wohnung gesucht**

Familie Spielmann wohnt ab nächstem Monat in Lübeck. Gabi und Ben, die Kinder, helfen bei der Wohnungssuche.

a. Lies die Profile der Kinder. Was erfahren wir über sie?

b. Lies die Anzeigen. Welche Vor- und Nachteile hat jede Wohnform?

c. Gabi und Ben diskutieren, wo sie gern wohnen möchten. Spielt den Dialog zu zweit.

> **BEISPIEL: Schüler A** (Gabi): Es ist toll, in ... zu wohnen. Dort kann man ...
> **Schüler B** (Ben): Ich habe keine Lust, in ... zu wohnen.

➔ Cahier d'activités p. 42

Gabi

13 Jahre alt.
Trifft gern Freunde.
Geht gern shoppen und ins Kino.
Geht oft schwimmen.

Ben

15, sportlich (treibt gern alle Sportarten, insbesondere schwimmen, segeln und surfen). Geht oft mit seinem Hund spazieren.

Preisner Immobilien Lübeck
Telefon: 0451/7 88 04-0

➔ **Wohnung in renoviertem Altbau (Baujahr 1690)**

Ort: Lübeck – Innenstadt
Zimmer: 4
Badezimmer: 1
Wohnfläche: ca. 90 m²*
Miete: 850 Euro

✛ Weitere Ansichten

➔ **Einfamilienhaus**

Ort: Lübeck – Sankt Jürgen (südlicher Stadtteil Lübecks)
Zimmer: 6
Badezimmer: 2
Wohnfläche: ca. 145 m²
Gartenfläche: 540 m²
Garage
Miete: 880 Euro

✛ Weitere Ansichten

➔ **Wohnung direkt an der Strandpromenade!**

Ort: Timmendorfer Strand (15 km nördlich von Lübeck)
Zimmer: 4
Badezimmer: 1
Wohnfläche: 115 m²
Balkon
Miete: 630 Euro

✛ Weitere Ansichten

* ca. (circa) 90 m²: *environ 90 m²*

Zwischenstation

Ich kann's

■ **Seinen Wohnort beschreiben**

Schreib eine E-Mail an deinen deutschen Partner.
a. Beschreib dein Haus / deine Wohnung und dein Viertel (real oder fiktiv).
b. Sag, was dir gefällt und was du nicht so toll findest.

- ➦ Je comprends la présentation d'un type d'habitation et d'un quartier.
- ➦ Je sais décrire des habitats différents et les situer.
- ➦ Je sais donner mon avis sur une ville ou un quartier.
- ➦ Je sais présenter les avantages et les inconvénients d'un logement.

Station 2

Ohne Autos geht's auch!

1 **Autofreier Tag in Basel**

Lies den Zeitungsartikel und beantworte die Fragen.

a. Warum war der 22. September in Basel ein besonderer Tag?

b. Wie ist jede interviewte Person an diesem Tag in die Stadt gefahren?

c. Wer reagiert positiv, wer nicht? Warum?

➜ Cahier d'activités p. 44

---

22. September 2010

— Autofreier Tag: — viel Begeisterung, wenig Kritik

Die Stadt Basel hat heute, wie viele europäische Großstädte, einen Aktionstag für eine umweltfreundliche und saubere Stadt organisiert. Heute mussten die Basler das Auto in der Garage stehen lassen und Bus, Bahn oder andere umweltfreundliche Transportmittel benutzen. Das haben sie alle gemacht. Mit Begeisterung? Fast alle …

Anita: „Ich bin heute mit dem Fahrrad in die Innenstadt zum Einkaufen gefahren. Das hatte ich vorher nie gemacht. Und ich muss sagen, es macht echt Spaß, mit dem Rad einzukaufen!"

Heiri: „Also, Programm von heute: Tram, Bus und Bahn! Dreimal umsteigen und noch eine Strecke zu Fuß! Bilanz: 2 Stunden statt 40 Minuten normalerweise mit dem Auto! So eine Aktion finde ich sinnlos und lächerlich!

Ein Tag allein rettet doch nicht die Umwelt!"

Christian: „Ich bin heute mit den Inlineskates gefahren. Viele Kollegen von mir sind mit dem Rad oder sogar mit dem Roller zur Arbeit gefahren. Dann haben wir zusammen zu Mittag ein Picknick mitten in der Innenstadt improvisiert. Die ganze Stadt ist fast zur Fußgängerzone geworden! Das ist echt klasse: bessere Luft, weniger Lärm und weniger Staus!"

Vokabeln

zu Fuß gehen   Rad fahren

Roller fahren   Inlineskates fahren

die Straßenbahn / den Bus nehmen

Sprechtraining

■ **Voyelles longues ou brèves (1)**

➜ Cahier d'activités p. 45

Élève

Piste 22

2 Und in Köln?

Köln hat auch seinen autofreien Tag.

a. Schau dir das Diagramm an. Zieh Bilanz.

> **BEISPIEL:** Viele Leute sind mit … gefahren. Einige … . Wenige … . Ganz wenige …

b. Hör dir das Interview an. Ist für Manfred der autofreie Tag in Köln ein Erfolg? Welche Vorteile hat für ihn das Radfahren?

c. Du bist Journalist bei der *Kölner Zeitung*. Schreib einen kurzen Artikel über den autofreien Tag in Köln (Bilanz, Argumente fürs Radfahren …).

➜ Cahier d'activités p. 45

Bilanz
des autofreien Tages

- öffentliche Verkehrsmittel
- zu Fuß
- mit dem Rad
- Inlineskates oder Roller

Zwischenstation

■ **Eine Umfrage machen**

Macht eine Umfrage zum Thema „Welche Transportmittel benutzt ihr? Und eure Eltern?"

a. Bildet 3 Gruppen. Die erste Gruppe befasst sich mit dem Thema „zur Schule kommen", die zweite mit „zur Arbeit kommen" und die dritte Gruppe mit dem Thema „einkaufen".

b. Jede Gruppe macht in der Klasse eine Umfrage zu ihrem Thema.

c. Jede Gruppe zieht Bilanz und kommentiert die Resultate vor der Klasse.

Ich kann's

❥ Je comprends les raisons d'utiliser un moyen de transport plutôt qu'un autre.

❥ Je sais donner des arguments pour choisir un moyen de transport.

❥ Je comprends et je sais exprimer des quantités.

Erlebe deine Stadt, setz dich ein!

Élève
Piste 23

1 Beim Jugendrat

a. Schau dir das Bild an. Wer sind wohl diese Personen? Was machen sie?

b. Hör dir das Gespräch an. Wer sind also diese Jugendlichen? Worüber diskutieren sie? Mit wem?

c. Was schlagen sie vor? Was sind ihre Argumente?

d. Johanna hat am Ende eine Idee. Was schlägt sie vor? Wie reagiert der Bürgermeister darauf?

➜ Cahier d'activités p. 47

Villach, Österreich

Vokabeln

der Ausbau
der Bau
der Bürgermeister
die Graffitimauer
das Rathaus

Sprechtraining

■ [au] ou [ɔy]
➜ Cahier d'activités p. 48

Élève
Piste 24

2 Wir sind dagegen

a. Lies den Brief. Wer schreibt? An wen? Warum? Liste die Argumente auf.

b. Organisiert eine Debatte in der Klasse: Zwei Gruppen diskutieren über den Bau einer Graffitimauer in der Stadt. Eine Gruppe ist dafür, eine Gruppe ist dagegen.

➔ Cahier d'activités p. 48

Villach, 17. Mai 2010

Betreff: Bau einer Graffitimauer in Villach

Sehr geehrter Herr Bürgermeister,

im Namen des Villacher Antigraffiti-Vereins lasse ich Ihnen dieses Schreiben heute zukommen.

Wie Sie wissen ist unser Verein seit Jahren gegen Farbschmierereien aktiv. So finden wir es absurd und skandalös, dass eine Graffitimauer in unserer Stadt gebaut wird und dass die Sprayer in Villach jetzt freie Bahn haben und legal werden.

Graffiti sind keine Kunst, sie beschädigen und beschmutzen unsere Stadtviertel. Unser Verein kämpft für eine saubere und schöne Stadt.

Außerdem ist eine Graffitimauer kein gutes Modell für die Villacher Jugend. Positiver wäre zum Beispiel die Vergrößerung des Jugendzentrums oder die Renovierung des Schwimmbads.

Mit freundlichen Grüßen

Matthias Grün

Vokabeln

Ich finde es ...
meiner Meinung nach
erstens, zweitens, drittens
dann
zum Beispiel
außerdem
schließlich

Zwischenstation

■ **Ein Projekt für die Stadt planen**

a. Organisiert in der Klasse eine Debatte über eure Stadt.

b. Denkt euch ein Projekt aus und sammelt Argumente dafür.

c. Schreibt dem Bürgermeister einen Brief, um ihm das Projekt zu erklären.

Ich kann's

🗨 Je comprends des arguments pour ou contre un projet.

🗨 Je sais comparer deux projets d'amélioration d'un quartier ou d'une ville.

🗨 Je sais enchaîner des arguments de façon convaincante.

Kunst findet Stadt

1 Fassaden erzählen Geschichten

a. Schau dir die Fotos an und lies die Informationen über Oberammergau. Wo steht dieses Haus? Was fällt dir auf? Was wird auf der Fassade erzählt?

b. Die acht Szenen auf der Fassade erzählen ein berühmtes deutsches Märchen. Suche für jede Szene die passende Bildunterschrift und versuche mit Hilfe dieser Sätze das Märchen zu erzählen.

Weltbekannt ist in Oberammergau die so typische bayrische Lüftlmalerei, die aus der Zeit des italienischen Barock stammt und dann in Bayern sehr populär wurde.

1 Die alte Frau spricht freundlich zu den Kindern und führt sie in ihr Häuschen.

2 Als die Kinder erwachen, ist es schon finstere Nacht.

3 Jeden Morgen guckt die Hexe, ob Hänsel fett genug wird.

4 Die Kinder finden ihr Haus wieder und fallen dem Vater um den Hals.

5 Hänsel und Gretel stehen vor einem Häuschen aus Kuchen und Zucker.

6 Eines Tages führen der Holzhacker und die böse Stiefmutter die Kinder in den Wald hinaus.

7 Gretel gibt der Hexe einen so heftigen Stoß, dass die böse Frau in den Backofen fällt.

8 Die Hexe fasst Hänsel am Arm und sperrt ihn in einem kleinen Stall ein.

2 Bunte Häuser für gesunde Menschen

a. Schau dir das Bild an. Würdest du gern in diesem Haus wohnen? Warum?

b. Lies Hundertwassers Biografie. Was ist für ihn in der Architektur wichtig?

c. Schreib ein kurzes Manifest für eine neue Architektur.

> **BEISPIEL:** Es ist doch schrecklich, ... zu wohnen. Wir wollen bunte Häuser ...
> Die Menschen sollen ...

Friedensreich Hundertwasser war ein öster-reichischer Künstler (1928 in Wien geboren – 2000 in Neuseeland gestorben). Er war ein Denker, Maler und Architekt.

Er interessiert sich früh für die Baukunst und charakterisiert sich selbst als „Architek-turdoktor", denn für ihn ist die moderne Architektur des 20. Jahrhunderts krank, steril und langweilig. Er will Grün in die Häuser integrieren, pflanzt Baummieter und Bäume auf Dächern. Denn für ihn soll die Architektur in Harmonie mit der Natur sein. Er baut Gebäude mit vielen Kurven und nur wenigen geraden Linien. Bunte Fassaden mit vielen Farben und Formen findet er viel schöner und interessanter als geometrische Flächen.

Wohnhausanlage, Wien

Video Berliner Mauerkunst

Schau dir die Reportage an.

a. Wer sind diese Männer? Was machen sie?

b. Warum wollen sie die Kunst in die Straße bringen? Warum machen sie das in Berlin?

c. Lies diese 2 Internet-Beiträge zu der Repor-tage und schreib deinen eigenen Beitrag:

• Bunte Graffiti sind doch schöner als graue Betonwände!

• Das ist keine Kunst, sondern bloße Schmiererei!

Sprache aktiv

→ Cahier d'activités p. 43
→ Mémento grammatical p. 125

1 La proposition subordonnée infinitive (1)

• Certains verbes ou expressions peuvent être complétés par une proposition subordonnée infinitive.
Ich finde es schrecklich, in einer kleinen Wohnung **zu** leben.
Er hat keine Lust, in einer Wohnsiedlung **zu** leben.

• Une proposition infinitive peut également être sujet.
Es ist schön, in der Innenstadt **zu** wohnen.

• Dans la proposition infinitive, le verbe est à l'infinitif. Il occupe la dernière place et est précédé de *zu*. La proposition infinitive est séparée de la principale par une virgule.

1 Réagis à chacune de ces propositions en utilisant les verbes et expressions fournis.

am Meer wohnen – in eine laute Großstadt ziehen – in der Altstadt leben – ein Einfamilienhaus mit Garten haben – in einer Wohnsiedlung ohne Spielplätze wohnen – auf dem Land wohnen

a. Ich finde es toll, …
b. Es ist doch schön, …
c. Es ist schrecklich, …
d. Es macht Spaß, …
e. Ich habe keine Lust, …

→ Cahier d'activités p. 46
→ Mémento grammatical p. 127 et 125

1 Les quantificateurs

• *all-* désigne la totalité (= tous, toutes).
Alle Autos produzieren Abgase.

• *viel-* désigne une grande partie (beaucoup).
Viele Schüler kommen zu Fuß zur Schule.

• *einig-** désigne une petite partie d'un ensemble (quelques).
Einige Schüler fahren mit dem Roller zur Schule.
*On peut également utiliser *ein paar* qui est invariable.
Ein paar Schüler fahren …

• *wenig-* désigne une partie réduite (peu de).
(Nur) **wenige** Stadtbewohner fahren Rad.

Dans un groupe nominal, ces mots portent la marque de genre, de nombre et de cas.

• La négation *kein* permet d'exprimer la quantité zéro.
Er findet **keinen** Parkplatz in der Innenstadt.

2 La proposition subordonnée infinitive (2)

⚠ *zu* se place entre le préverbe séparable et le verbe à l'infinitif.
Es macht Spaß, ohne Auto ein**zu**kaufen.

2 Complète les phrases avec des quantificateurs. Attention au sens ! Plusieurs choix sont parfois possibles.

a. Beim internationalen autofreien Tag machen fast … Städte Europas mit.
b. Ich will nicht, ich habe … Lust!
c. In Deutschland fahren … Schüler mit dem Rad zur Schule.
d. Mit dem Bus bist du in … Minuten in der Innenstadt.
e. Nur … Leute finden den autofreien Tag sinnlos.

3 Rédige des questions au sujet des trois thèmes en utilisant les amorces proposées.

mit dem Fahrrad einkaufen – bei dem autofreien Aktionstag mitmachen – oft umsteigen

Macht es dir Spaß, …?
Finden Sie es praktisch, …?
Hast du Lust, …?
Ist es für dich ein Problem, …?
Gefällt es Ihnen, …?

Station 3

→ Cahier d'activités p. 49
→ Mémento grammatical p. 129

1 Le comparatif de supériorité

Mit der Straßenbahn kommt man **schneller** ins Zentrum als mit dem Auto.
schnell → schnell**er**

• Certains adjectifs prennent l'inflexion (*Umlaut*) au comparatif de supériorité.
groß, stark, alt, gesund, nah → gr**ö**ß**er**, st**ä**rk**er**, **ä**lt**er**, ges**ü**nd**er**, n**ä**h**er**

• De même : jung, kalt, warm, lang, kurz

⚠ Formes irrégulières :

hoch	→	**höher**
viel	→	**mehr**
gut	→	**besser**
gern	→	**lieber**

4 Complète les phrases en mettant les adjectifs suivants au comparatif.

groß – gut – stark – viel – viel – gern – lang – gesund – gut

a. Die Stadt Köln ist ... als Bonn: Sie hat ... Einwohner.
b. Ein Tag ohne Auto, das ist nicht viel, aber es ist ... als gar nichts.
c. Ich fahre ... mit der Straßenbahn als mit dem Auto, es dauert ... aber es ist ... für die Umwelt!
d. Dank dem Jugendrat gibt es in Villach ... Projekte für die Jugendlichen.
e. Willst du fit bleiben? Dann lass das Auto in der Garage und fahr Rad, das ist viel ... .
f. Wer ist am Ende der Debatte ...? Der Antigraffiti-Verein oder die Jugendlichen?

Vokabeln
Kurz und gut

1 wohnen

das Einfamilienhaus (¨er)
die Wohnsiedlung (-en)
die Wohnung (-en)
die Miete (-n)

die Altstadt
die Innenstadt = das Zentrum
die Fußgängerzone (-n)
der Stadtrand → am Stadtrand
das Viertel (-) = der Stadtteil (-e)

der Spielplatz (¨e)
der Park (-s)
der Skatepark (-s)

2 sich in der Stadt bewegen

Auto fahren
Rad fahren
das Fahrrad benutzen
mit dem Bus fahren
die Straßenbahn nehmen
Roller fahren
Inlineskates fahren
zu Fuß gehen

3 Vor- und Nachteile

ruhig ≠ laut
lebendig ≠ langweilig
weit ≠ nah
praktisch ≠ unpraktisch
sauber
umweltfreundlich = ökologisch
lächerlich, sinnlos

4 argumentieren

erstens, zweitens, drittens
zuerst, dann
zum Beispiel
außerdem
zum Schluss / schließlich

Endstation

Anders wohnen, anders leben: Willkommen im Stadtteil Vauban

Südlich von Freiburg, 2,5 km vom Zentrum entfernt, liegt der Stadtteil Vauban. Dieses Viertel war früher eine französische Kaserne und wurde ab 1993 renoviert.

Statt grauer Kasernen sieht man heute im Stadtteil Vauban bunte Häuser, die besonders umwelt- und menschenfreundlich sind.

Das ist das Kulturhaus des Stadtteils Vauban, ein soziales und kulturelles Zentrum (Konferenzraum, Familienraum, Atelier, Restaurant „Süden" mit Außenterrasse). Das Haus produziert auch Elektrizität dank einer Solaranlage.

Stadtteilzentrum Vauban, Haus 037

Eine Solarsiedlung mit 50 Wohnhäusern, Geschäften (Natursupermarkt), Büros, einem Café ... produziert Strom mit dem Solardach.

Das Sonnenschiff

Seit 2006 fährt die Stadtbahn ins Vauban

Ein großer Teil des Stadtviertels ist autofrei. Stadtbahn und Busse verbinden Vauban mit dem Freiburger Stadtzentrum. So gehört die Straße den Fußgängern und den Radfahrern.

Alles klar?

1. **Wo liegt der Stadtteil Vauban?**
2. **Welche positiven Seiten hat dieses Viertel?**
3. **Was kann man im Quartier Vauban alles machen?**

Unser Projekt

Dein ideales Stadtviertel

Du arbeitest als Architekt. Du erfindest ein fantasievolles Stadtviertel.

a. Zeichne den Plan.

b. Mach Collagen oder Zeichnungen, kleb Fotos auf. Schreib kurze Kommentare dazu.

c. Stell der Klasse dein Projekt vor.

d. Die Klasse diskutiert darüber und wählt das beste Projekt.

WEBSITE FÜR INFOS
http://www.vauban.de/

Jetzt kannst du's!

Vers la validation **A2**

---

1 Was ist besser?

→ Cahier d'activités p. 51

Objectifs : Comprendre la description de différents quartiers, comprendre les raisons d'un choix.

Outils : Le lexique des avantages et des inconvénients, les comparatifs.

Tina et Lea cherchent un logement pour leurs prochaines vacances.

Écoute le dialogue et repère les informations suivantes :

A1+ 1. le lieu de l'auberge de jeunesse « Artur Becker » et de la « Ferienhaus am Bachhaus ».

A2 2. leurs avantages.

3. le choix de Tina et Lea.

A2+ 4. les raisons de leur choix.

---

2 Ein neues Viertel

→ Cahier d'activités p. 51

Objectifs : Parler des avantages d'un quartier, donner de bonnes raisons de choisir un moyen de transport plutôt qu'un autre.

Outils : Le lexique des transports, des habitations, les quantificateurs.

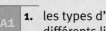

Regarde le projet de construction d'un nouveau quartier.

Es-tu capable d'indiquer :

A1 1. les types d'habitations et les différents lieux que tu repères ?

A2 2. ce que les gens y font ?

3. comment ils se déplacent ?

A2+ 4. les avantages que présente ce quartier pour ceux qui y vivent ?

➜ Cahier d'activités p. 52

3 Umweltprobleme

OBJECTIFS : Comprendre les problèmes d'une ville, ses projets d'amélioration.
OUTILS :   Le lexique des transports, les quantificateurs.

Endlich Ideen für Igls

Die Stadt Igls, 5 km von Innsbruck entfernt: ein Paradies für Sportler und Naturliebhaber! Dafür aber auch viele Touristen, Autos und Busse. Das heißt: viel Verkehr, Lärm, Abgase und wenig frische Luft im Stadtzentrum!

Ein Team von Architekten und Städteplanern hat sich mit diesem Problem befasst und Vorschläge gemacht, um die Umweltsituation in Igls zu verbessern.

Bald soll das Stadtzentrum zu einer großen Fußgängerzone werden. Dazu soll der Bau von vielen Parkplätzen und einigen großen Parkgaragen am Stadtrand im kommenden Jahr finanziert werden. Ziel ist, dass alle Gäste und Touristen in Zukunft nur zu Fuß oder mit Fahrrädern, Bussen oder Straßenbahnen in die Innenstadt kommen.

Lis l'article et repère les informations suivantes :

A1	**1.**	le nom et la situation géographique de la ville.
	2.	les problèmes de cette ville.
A2	**3.**	la solution proposée par les architectes et les urbanistes.
A2+	**4.**	les moyens concrets pour y arriver.

➜ Cahier d'activités p. 52

4 Projekte deiner Stadt

OBJECTIFS : Exprimer et justifier un choix, argumenter.
OUTILS :   Le lexique des projets, les subordonnées infinitives.

Dans la ville où habite ton correspondant, le maire présente trois projets : l'agrandissement de la bibliothèque, la création d'une zone piétonne et la construction d'une route.

Tu envoies un mail à ton correspondant pour lui faire part de ta réaction.

Es-tu capable :

A2	**1.**	de dire ce que tu préfères ?
	2.	d'indiquer ce que tu ne veux absolument pas ?
A2+	**3.**	d'expliquer ton choix et d'exposer tes arguments ?

Station 1

Piste 20

Wir leben in Jena und es gefällt uns!

Theo von Gingen: Guten Tag, ich bin Theo von Gingen, ich bin Zahnarzt und habe meine Praxis und meine Wohnung in einem Altbau im Zentrum. Es ist toll, mitten in Jena zu wohnen. Es ist sehr praktisch, weil man alles zu Fuß machen kann. Die Altstadt ist wunderschön, lebendig und international, es gibt viele kulturelle Angebote, und man kann hier echt gut shoppen! Abends kann man wunderbar ausgehen. Leider ist man ein bisschen weit von der Natur. Wenn ich mal wirklich entspannen und spazieren gehen will, muss ich das Auto nehmen.

Vera Müller: Also ich heiße Vera Müller und wohne in Lobeda-West. Das ist eine Wohnsiedlung am südlichen Stadtrand. Seit ein paar Jahren werden alle Wohnhäuser in Lobeda renoviert. Solche Siedlungen sind nie schön, und meine Nachbarn sind etwas laut, aber es ist jetzt alles sauber und gepflegt. Die Stadt macht auch viel für die Kinder und Jugendlichen. Es gibt zum Beispiel viele Spielplätze. Mein Sohn geht immer in den Skatepark. Außerdem ist Wohnen hier billiger als in anderen Stadtteilen, und es ist unkompliziert, mit der Straßenbahn ins Zentrum zu fahren.

Andreas Kien: Guten Tag, mein Name ist Andreas Kien. Wir haben ein Einfamilienhaus in Ziegenhain gekauft. Das war ein bisschen teuer, aber wir wollten Stadt und Natur haben. In unserem Garten bauen wir Tomaten an, wir haben einen Apfelbaum und ein paar Hühner. Unsere Nachbarn sind sehr nett. Sie haben uns gezeigt, wie man Kompost macht. Es ist ruhig hier, und doch sind wir nicht weit vom Zentrum. Ich bin mit dem Fahrrad schnell in der Innenstadt.
Ich finde es schön, hier zu wohnen. In Jena gibt es alles, was ich brauche, um glücklich zu sein: Natur, sowie Sport- und Freizeitangebote.

Station 3

Piste 23

Beim Jugendrat

Bürgermeister: Gut. Das ist also klar. Jetzt zu den Projekten. Was steht zur Debatte?
Johanna: Wir haben zwei Vorschläge: erstens die Vergrößerung unseres Jugendzentrums, zweitens den Bau einer Graffitimauer.
Bürgermeister: Ich kann heuer aber nur mehr ein Projekt finanzieren.
Sandra: Ich finde den Ausbau des Jugendzentrums besser. Viele Jugendliche haben uns gesagt, dass Musiker in Villach mehr Proberäume brauchen. Wenn das Jugendzentrum größer ist, haben wir Platz für Proberäume und sogar für ein Studio.
Daniel: Mir scheint der Bau einer Graffitimauer wichtiger und realistischer. Realistischer, weil es billiger ist als der Ausbau des Jugendzentrums und wichtiger, weil es schon ein paar Proberäume gibt. Wo aber können junge Straßenkünstler sprühen? Nirgends.
Bürgermeister: Für echte Künstler gibt es immer wieder Initiativen. Das Problem sind die Schmierer, die keine schönen Bilder sprühen, sondern irgendwelche Buchstaben und Slogans. Und die sprühen sie überall hin, vor allem da, wo es stört.
Daniel: Aber wenn sie eine große weiße Mauer haben, malen sie vielleicht schönere Sachen.
Bürgermeister: Das weiß ich nicht. Das Argument „niedrigerer Preis" ist jedoch gut.
Johanna: Ich habe eine Idee. Um das Jugendzentrum zu vergrößern, muss man eine Mauer ohne Fenster für die Proberäume und das Studio bauen. Und auf diese Mauer können Künstler dann sprühen.
Sandra: Ja! Und jedes halbe Jahr gibt es ein anderes Thema.
Johanna: Man muss das Thema öfter wechseln. Jeden Monat ein neues Thema ist besser.
Bürgermeister: Es ist in der Tat intelligenter, beide Projekte zu kombinieren. Jetzt muss ich schauen, wie ich das finanzieren kann.

Je vais apprendre à...

Écouter
- Comprendre un itinéraire basé sur la description de lieux.
- Comprendre des scènes de la vie en famille.

Lire
- Reconstituer l'histoire d'une entreprise familiale.
- Comprendre les événements marquants de la vie de quelqu'un.

Parler en continu
- Caractériser précisément quelqu'un.
- Indiquer l'auteur d'une invention.

Parler avec quelqu'un
- Échanger des informations sur des programmes télévisés.
- Faire face à une situation conflictuelle.

Écrire
- Rédiger la biographie d'une personne célèbre.
- Donner mon point de vue sur la vie en famille.

Unser Projekt

 Réaliser une bande dessinée sur une fratrie allemande connue.

Station 1

Familientag

Piste 25

1   Wie kommen wir hin?

a. Schau dir das Bild an und kommentiere es.

b. Hör dir das Gespräch an.

- Die Familie fragt nach dem Weg. Wohin will sie gehen? Was sagt der Besucher?
- Notiere Informationen über die zwei Kinder (Vorname, Charaktereigenschaften).
- Was ist ein Mehrgenerationenhaus?

➜ Cahier d'activités p. 53

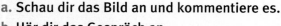

Engagement • Generationen • WC Toiletten
Freizeit • Gesundheit • X Imbissbude
Kinder • + Rettungsstelle

Vokabeln

sich ähnlich sehen — *se ressembler*
die Zwillingsschwester (-n) — *la sœur jumelle*
ruhig ≠ aufgeregt

Hier und dort

alt	old
jung	young
in der Mitte	in the middle
links	left
rechts	right

Sprechtraining

■ « r » en fin de mot : [ɐ]
➜ Cahier d'activités p. 54

Piste 26

Gesucht und gefunden

a. Schau dir das Werbeplakat an.

• Jeder Schüler identifiziert sich mit einer Person auf dem Plakat. Er sagt, wie er ist, was er mag …

> **BEISPIEL:** Ich bin … Ich … . Wer bin ich?

• Die anderen müssen raten, wer das ist.

> **BEISPIEL:** Du bist der blonde Junge rechts / die … / das … .

b. Hör dir die Monologe an.
Wer sind Björn, Vera, Werner, Margarete, Manuel und Julia?

> **BEISPIEL:** Björn ist der Junge, der gern …
> Vera ist das Mädchen, das … /
> die Frau, die …

➔ **Cahier d'activités p. 54**

Vokabeln

malen	*peindre*
stricken	*tricoter*
der Hut	*le chapeau*
fleißig	*studieux*
konzentriert	
manuell geschickt	
neugierig	*curieux*
träumerisch	*rêveur*

 Zwischenstation

■ **Familienalbum: Wer ist wer?**

a. Bring Fotos von deiner Familie mit (real oder fiktiv). Auf den Fotos sind Leute zu sehen, die etwas machen (joggen, kochen, spielen, tanzen …).

b. Ein Schüler zeigt seine Fotos. Die anderen Schüler stellen ihm Fragen über seine Familie.

> **BEISPIEL:** Wie heißt der junge Mann rechts?
> Wer ist die Frau, die …?

Ich kann's

➥ Je comprends des informations portant sur des lieux.

➥ Je sais caractériser précisément quelqu'un.

Familienunternehmen

 1 **Die Geschichte eines Erfolgs**

Lies die drei Texte über die Geschichte der Firma Käthe Wohlfahrt.

a. Warum ist diese Firma bekannt?

b. In welchem Text findest du folgende Informationen: Tod des Gründers, erster Erfolg der Familie, Senden einer Spieldose, Idee der Firmengründung?

c. Datiere folgende Ereignisse: Besuch von John und Myra Lanier, Verkauf der Spieldosen in der amerikanischen Kaserne, Eröffnung des zweiten Geschäfts in Rothenburg ob der Tauber.

➔ Cahier d'activités p. 56

A

Böblingen, den 25. Februar 1964

Dear Myra and John,
anbei schicke ich Euch ein verspätetes Weihnachts-
geschenk: Es ist eine Weihnachtsspieldose wie die,
die Ihr bei uns vor zwei Monaten gesehen habt. Es
war sehr schwierig, eine zu finden, denn in den
Geschäften waren ab dem 30.12. keine Weihnachts-
Accessoires mehr zu bekommen. Erst heute konnte
ich eine kaufen (besser gesagt zehn!).
With very best wishes,
Wilhelm

B

05.05.1964

Heute ist ein großer Tag: Wir
eröffnen ein Geschäft in Herrenberg.
Drei Wochen nach dem Kauf der
Spieldosen hat Wilhelm in der
amerikanischen Kaserne die neun
restlichen verkauft (ein Tipp unserer
amerikanischen Freunde, John und
Myra). Von den Spieldosen fasziniert,
haben die Amerikaner Willi zu einem
Offiziersbasar eingeladen. Das war
ein Riesenerfolg. So ist Willi auf die
Idee gekommen, ein Unternehmen
zu gründen. Für die Firma habe ich
meinen Namen gegeben. Hoffentlich
wird das kein Flop!

C

15 · DOSSIER 3. Mai 2002

Weihnachten pausenlos

Bei Käthe Wohlfahrt ist das ganze Jahr Weihnachten. Das ist das Erfolgsrezept dieses Familienunternehmens. „Wir sind jeden Tag geöffnet, im Winter wie im Sommer", erklärt Harald Wohlfahrt, der seit dem Tod des Vaters im Mai 2001 das Unternehmen führt. „1977 sind wir nach Rothenburg gezogen", erzählt er weiter, „meine Eltern haben in der Herrngasse das 1. Geschäft eröffnet. Vier Jahre später ist das 2. Geschäft entstanden." Inzwischen verkauft Familie Wohlfahrt Weihnachtsartikel auf der ganzen Welt. Und für alle, die sich für die Weihnachtstraditionen interessieren, hat das Unternehmen 2000 das Deutsche Weihnachtsmuseum gegründet.

Sprechtraining

■ [aɪ] ou [iː]
➔ Cahier d'activités p. 57

Piste 27

Élève

(2) Ein Porträt der Margarete Steiff

Schreib anhand folgender Informationen eine kurze Biografie über Margarete Steiff.

BEISPIEL: Im Jahre ... / Nach ... / ... Jahre später ... / Seit ...

➔ Cahier d'activités p. 57

Margarete Steiff (1847 – 1909)

Sie erkrankt mit 1½ Jahren an Kinderlähmung.

1856: Operation: kein Erfolg!

➔ Besuch einer Nähschule

1877: Eröffnung eines Konfektionsgeschäftes

1880: Gründung der Firma Margarete Steiff GmbH

➔ Entstehung des 1. Steiff-Elefanten. Der Erfolg ist riesig.

1902: Richard Steiff kreiert den 1. Teddybären.

➔ Verkauf von 12 000 Stück bei der Weltausstellung in St. Louis

1907: Die Produktionsmenge steigt auf 1 700 000 Spieltiere an.

2005: Gründung des Steiff-Museums

Grüße aus dem Steiff-Museum

Vokabeln

| geboren werden | *être né(e)* |
| sterben | *mourir* |

(3) Deutschland – Land der Erfinder

Wer sind diese Leute? Warum sind sie bekannt?

BEISPIEL: Melitta Bentz ist die Erfinderin der / des ...

Erfinder

- Melitta Bentz
- Carl Benz
- Albert Einstein
- Johannes Gutenberg
- Philipp Reis
- Levi Strauss

der Kaffeefilter

das Telefon

die Jeans

der Buchdruck

Zwischenstation

■ **Die Biografie eines Stars**

a. Wähl dir eine prominente Persönlichkeit aus (Musiker, Sportler, Schauspieler, Erfinder ...).

b. Such Informationen über ihre Lebensgeschichte (Geburt, Kindheit, Erfolg ...).

c. Schreib ihre Biografie.

Ich kann's

- ☙ Je comprends des indications temporelles.
- ☙ Je sais situer des actions dans le temps.
- ☙ Je sais identifier l'auteur d'une invention.

Mensch, ärgere dich nicht!

 1 **Familienalltag**

a. Schau dir das Bild an und kommentiere es. Wo sind die Leute? Was machen sie?

b. Hör dir die Gespräche an. Wo spielt jedes Mal die Szene? Rechtfertige deine Antwort.

c. In welchem Dialog streiten die Leute? Warum streiten sie?

→ Cahier d'activités p. 59

Vokabeln

*auf*räumen	*ranger*
jemandem eine Geschichte erzählen	*raconter une histoire à quelqu'un*
sich die Hände waschen	*se laver les mains*
sich um etwas streiten	*se disputer à propos de quelque chose*

 Sprechtraining

■ **L'intonation de la phrase (injonctive et exclamative)**

→ Cahier d'activités p. 60

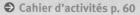

2 · Kein Streit ums Fernsehprogramm!

a. Gruppe 1 stellt Gruppe 2 Fragen über das Programm im Ersten, im SWR und auf 3SAT.
Gruppe 2: Seite 10.

> **BEISPIEL:** Gruppe 1: Was läuft im / auf …? Worum geht es?
> Gruppe 2: Im / Auf … läuft „…". Es geht um einen / ein / eine …

b. Welches Programm
möchtest du sehen? Warum?
➔ Cahier d'activités p. 59

Vokabeln

der Dokumentarfilm
der Krimi   die Show
die Serie   das Spiel

 ZDF |  RTL |  SAT.1

**20.15 SOKO Leipzig:
Silly – Tod im Konzert**
Krimiserie, D 2010
Vor dem Konzert der
Kultband „Silly" wird
der Tourmanager tot
aufgefunden.

20.15 Das Supertalent
Castingshow
Die ersten zehn
Halbfinalisten
kämpfen diesmal um
die Stimmen der
TV-Zuschauer.

20.15 Fußball live
FC Bayern München
– Borussia Dortmund.
Aus der Allianz-
Arena in München.

3 · Streit in der Familie

a. Schau dir die Bilder an. Was ist los?

b. Such dir eine Situation aus und spielt den Dialog zu zweit.
➔ Cahier d'activités p. 60

Vokabeln

stören   *gêner*
Trompete spielen
laut ≠ leise

Zwischenstation

■ Familienleben

In einem Kinderforum geht es um das Thema
„Familienleben". Schreib einen Kommentar dazu.

a. Verstehst du dich gut mit deiner Familie?
Was findest du schön? Was nervt dich?

b. Was möchtest du in deinem Familienalltag
ändern?

Ich kann's

- ➤ Je comprends des scènes de la vie en famille.
- ➤ Je sais indiquer le sujet d'une conversation, le thème d'une émission.
- ➤ Je sais exprimer un souhait, une interdiction.

Zeit für Familie?

1 **Ich habe doch keine Zeit!**

a. Lies folgende Szene aus dem Theaterstück *Halt die Ohren steif, Theo* von Paula Daniel.
- Was erfährst du über Theo und seine Familie?
- Theo findet, dass alle gegen ihn sind. Hat er recht? Was denkst du?

b. Bildet 4er-Gruppen und teilt die Rollen (Vater, Mutter, Theo und Julia) unter euch auf. Hört euch die Szene an. Lernt dann eure Rolle und spielt der Klasse die Szene vor.

Wohnküche

Julia spielt mit ihren Puppen. In einer Ecke des Zimmers steht eine große Schachtel, in der Theo hockt.

Julia: Komm jetzt endlich heraus! Mama hat gesagt, du musst mit mir spielen! *(einschmeichelnd)* Du darfst auch mit meiner Puppe Kathi spielen.

Theo *(genervt)*: Jaaaaaaaaaa, gleich!

Julia *(geht zur Schachtel und rüttelt fest daran)*: Komm sofort heraus!!!

Theo *(schreit)*: Hör auf! Ich komm ja schon! *Julia rüttelt weiter an der Schachtel.*

Theo: Ach Schei...! *(kriecht heraus)*

Julia: Spielen! *(hält ihm Kathi hin)*

Theo: Kannst du mich nicht in Ruhe lassen? [...] *Die Mutter kommt mit zwei schweren Einkaufstaschen zur Tür herein.*

Julia *(läuft zur Mutter)*: Mami, Mami, Theo will nicht mit mir spielen ... Sag ihm, dass er mit mir spielen soll! Oder spielst du mit mir?

Mutter *(erschöpft)*: Ich habe doch keine Zeit! Du siehst ja, wie viel ich zu tun habe! Papa kommt bald nach Hause – ich muss noch kochen. Theo! Komm sofort her!

Theo *(lächelt verlegen)*: Hallo Mama!

Mutter *(streng)*: Deine Lehrerin hat mich heute in der Arbeit angerufen. Hast du deine Aufgaben schon gemacht?

Theo *(zögernd)*: Ja ... das heißt ... nein!

Mutter *(vorwurfsvoll)*: Du bist alt genug, um zu wissen, was deine Pflicht ist!

Julia: Theo soll mit mir spielen. Die ganze Zeit sitzt er in seiner Schachtel.

Mutter: Jetzt reicht es mir mit der grässlichen Schachtel! [...]

Vater *(kommt auf die Bühne)*: Was ist denn hier los?

Julia *(läuft zu ihm)*: Papa, Theo will nicht mit mir spielen!

Mutter *(zum Vater)*: Du musst morgen um acht in die Schule. Die Lehrerin ist nicht gerade berauscht von Theos Leistungen. Ich kann beim besten Willen nicht hingehen [...]. *(deutet auf Theo)* Seine Aufgaben hat er auch noch nicht gemacht. [...]

Vater *(zu Theo)*: Was ist denn los mit dir? Mein Beruf ist Elektriker, dein Beruf ist Schüler! [...] Ich kann jedenfalls morgen nicht zu deiner Lehrerin. Ich fahre schon um fünf Uhr auf die Baustelle. [...]

Mutter: Das Essen ist fertig!

Theo: Ich habe gerade vorhin ein Wurstbrot gegessen. Ich habe keinen Hunger. *(geht ab)*

Paula DANIEL, *Halt die Ohren steif, Theo*,
© Unda Verlag

2 Die Zeit stoppen

Schau dir das Gemälde von Otto Dix an.

a. Wer sind vielleicht diese Personen? Formuliere Hypothesen.

b. Du bist Museumsführer. Schreib für einen Audioguide einen Text zu diesem Bild.

• Gib ein paar Informationen über Otto Dix.

• Beschreib das Gemälde.

Otto Dix, 1924

Otto Dix (1891-1969)
Maler und Grafiker

1910: Studium in Dresden – Otto Dix experimentiert mit vielen artistischen Formen (Futurismus, Dadaismus ...).

1914-1918: Dix erlebt als Soldat den Ersten Weltkrieg – Themen der Bilder: Krieg, Hunger, Kriminalität.

1919: Gründung der „Dresdner Sezession-Gruppe 1919" mit Conrad Felixmüller – Sozialkritische Collagen.

1922: Studium an der Kunstakademie in Düsseldorf – Realistische Porträts.

1925-1933: In Berlin – Dix steht im Zenit seines Erfolgs – Kritisch-analytische Gemälde.

Vokabeln

hängen	die Wand	*le mur*
sitzen	der Zettel	*le papier*
das Sofa	müde	*fatigué(e)*

Wir reden später!

Schau dir die Filmszene an.

a. Wer sind Sara, Lisa, Jens, Frau Körner und Herr Kleist?

b. Lisa spricht mit ihrem Vater. Was will sie genau? Wie reagiert der Vater? Liste die Argumente von Lisa auf.

c. Am Ende geht es um einen Plan B: Lisa möchte jetzt mit ihrer Mutter über den Abend sprechen. Spielt den Dialog.

Sprache aktiv

→ Cahier d'activités p. 55
→ Mémento grammatical p. 129 et 128

Station 1

1 La proposition subordonnée relative

Pour définir précisément quelqu'un ou quelque chose, on peut utiliser une proposition subordonnée relative.

Wir suchen <u>die Dame</u>, **die** Apfelkuchen **verkauft**.

Antécédent   Pronom
relatif

Dans cet exemple, le pronom relatif *die* remplace l'antécédent *die Dame*, dont il prend le genre et le nombre. Il est au nominatif car il est le sujet du verbe de la subordonnée (*verkauft*).

Lorsqu'il est sujet, le pronom relatif a la même forme que le déterminant défini au nominatif : **der**, **das**, **die**.

2 L'adjectif épithète dans un groupe nominal défini (nominatif et accusatif)

	nominatif	accusatif
masculin	der grün**e** Punkt	den grün**en** Punkt
neutre	das ruhig**e** Mädchen	
féminin	die nett**e** Frau	
pluriel	die hübsch**en** Töchter	

1 Donne des précisions en formant une relative à partir des informations entre parenthèses.

a. Ist dein Vater der Mann links ...? (Der Mann links spielt mit dem Hund)
b. Wir suchen ein Au-pair-Mädchen ... (Das Mädchen kann dreimal in der Woche die Zwillinge hüten)
c. Ich habe ganz nette Nachbarn ... (Die Nachbarn helfen uns sehr oft)
d. Meine Mutter arbeitet in einer Firma ... (Die Firma verkauft Schuhe auf der ganzen Welt)

2 Complète les terminaisons (vérifie le genre des mots).

a. Sehen Sie d... blau... Punkt da auf Ihrem Plan?
b. Können Sie mir bitte d... detailliert... Programm für d... nächst... Woche geben?
c. Siehst du d... zwei alt... Damen vor dem Stand?
d. Es ist d... wunderbar... Geschichte von drei Räubern.
e. D... grün... Ballon ist für dich, Lukas.

→ Cahier d'activités p. 58
→ Mémento grammatical p. 127 et 130

Station 2

1 Le complément du nom

• Un nom peut être complété par un groupe nominal au génitif.

Ein Tipp <u>unserer amerikanischen Freunde</u>

Ici le génitif exprime une relation d'appartenance.

• Les marques du génitif sont :
– au féminin et au pluriel :
der Erfolg de**r** Familie / der Kauf de**r** Spieldosen
– au masculin et au neutre :
der Tod de**s** Vater**s** / die Eröffnung de**s** Geschäft**s**

2 Les compléments de temps

On peut exprimer à l'aide de groupes prépositionnels au datif l'antériorité (**Vor** zwei Monaten / **Seit** dem 3. Mai), la postériorité (**Nach** der Geburt) et un moment précis (**Im** Juni 2001).

3 Qui sont ces personnes ? Indique, selon le modèle, ce que raconte Kathrin.

Ursula: Schwester / Großvater → Ursula ist die Schwester meines Großvaters.

a. Armin: Onkel / Mutter **b.** Franziska: Enkelin / Großonkel **c.** Werner: Freund / Eltern **d.** Katrin und Max: Kinder / Cousin

4 Complète les phrases à l'aide des indications entre parenthèses.

a. – Vor ... sah der Laden irgendwie anders aus. (zwei Jahre)
b. Seit genau ... haben wir den Laden komplett renoviert. (ein Monat)
c. Spätestens in ... bekommen wir dieses Modell. (eine Woche)
d. Schlussverkauf ist nach ... (der Karneval)

Station 3

→ Cahier d'activités p. 61
→ Mémento grammatical p. 131 et 129

1 Les verbes de modalité

• Les verbes de modalité modifient le sens d'un groupe verbal entier. Le verbe à l'infinitif n'est jamais précédé de *zu*.

Du sollst <u>dein Zimmer aufräumen</u>.
Groupe verbal à l'infinitif

• Sens des verbes de modalité

Capacité → ich kann	Permission → du darfst
Nécessité → ich muss	Recommandation → du sollst
Volonté → ich will	Souhait → ich möchte

2 Les prépositions suivies de l'accusatif

Certaines prépositions sont toujours suivies de l'accusatif : *durch* (à travers), *für* (pour), *gegen* (contre), *ohne* (sans) et *um* (autour de, au sujet de).

5 Complète par le verbe de modalité qui convient.

a. ... du mit mir ins Kino gehen? Ich ... mir den letzten Film mit Jimi Blue Ochsenknecht anschauen.
b. Jugendliche unter 16 Jahren ... keinen Alkohol kaufen.
c. Ich brauche meine Brille. Ich ... sonst nicht lesen, was geschrieben steht.
d. Bei diesem Wetter habt ihr bestimmt Durst. Was ... ich euch anbieten? Eine Cola?
e. Entschuldigen Sie, ich ... schnell auf die Toilette.

6 Voici des propositions faites au sujet de l'école. Es-tu pour ou contre ? Donne ton avis.

Ich bin für / gegen ...

a. Eine Schuluniform? – **b.** Ein Volleyballturnier zwischen Schülern und Lehrern? – **c.** Eine Projektwoche? – **d.** Der Unterricht am Samstag? – **e.** Das Verbot von MP3-Playern? – **f.** Der Kauf eines Computers für jeden Schüler? – **g.** Der Bau eines Jugendraums? – **h.** Die Abschaffung der Noten?

Vokabeln
Kurz und gut

1 Lebensgeschichte

die Geburt → am 3. Januar geboren werden
die Kindheit → in Basel *auf*wachsen
das Studium → an der Kölner Uni studieren
der Tod → 2007 sterben

2 Familienstress

sich mit jemandem streiten ≠ sich gut verstehen

Das geht dich nichts an!
Du nervst!
Du spinnst wohl!
Hör auf!
Ich halte das nicht mehr aus!
Lass mich in Ruhe!
Machst du dich über mich lustig?
Mensch!
Reg dich doch nicht auf!

3 Eine erfolgreiche Familiengeschichte

entstehen	→	die Entstehung
erfinden	→	die Erfindung
eröffnen	→	die Eröffnung
führen	→	die Führung
gründen	→	die Gründung
kaufen	→	der Kauf
kreieren	→	die Kreation
produzieren	→	die Produktion
verkaufen	→	der Verkauf

bekannt werden
ein Erfolg ≠ ein Flop sein

die Firma (Firmen)
das Geschäft (-e)
das Unternehmen (-)

Endstation

Bekannte deutsche Geschwister

Geschwister können sich gut verstehen, sie können aber auch Rivalen sein und lebenslang miteinander streiten. Wie ist das Verhältnis zwischen den drei folgenden historischen Geschwisterpaaren? Geht es um Hass oder Liebe?

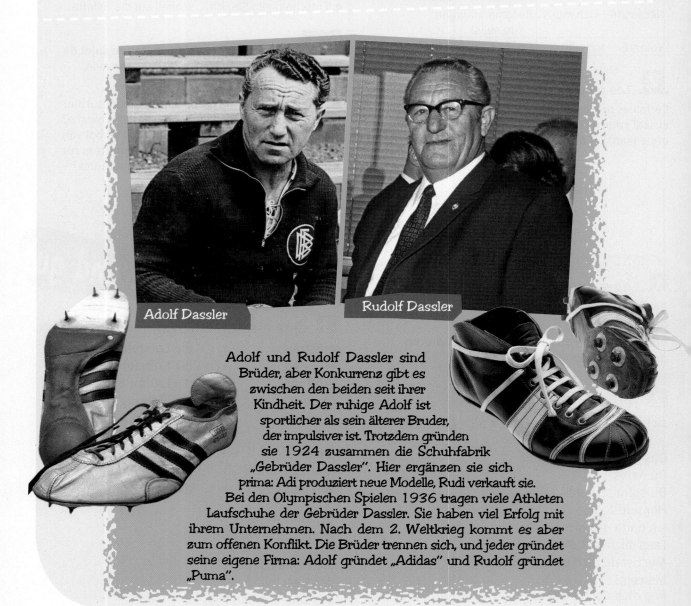

Adolf Dassler

Rudolf Dassler

Adolf und Rudolf Dassler sind Brüder, aber Konkurrenz gibt es zwischen den beiden seit ihrer Kindheit. Der ruhige Adolf ist sportlicher als sein älterer Bruder, der impulsiver ist. Trotzdem gründen sie 1924 zusammen die Schuhfabrik „Gebrüder Dassler". Hier ergänzen sie sich prima: Adi produziert neue Modelle, Rudi verkauft sie. Bei den Olympischen Spielen 1936 tragen viele Athleten Laufschuhe der Gebrüder Dassler. Sie haben viel Erfolg mit ihrem Unternehmen. Nach dem 2. Weltkrieg kommt es aber zum offenen Konflikt. Die Brüder trennen sich, und jeder gründet seine eigene Firma: Adolf gründet „Adidas" und Rudolf gründet „Puma".

Hans (geboren am 22.09.1918) und Sophie Scholl (geboren am 09.05.1921) wachsen in Ulm auf. Anfangs begeistern sie sich für das nationalsozialistische Regime, aber 1936 distanzieren sie sich definitiv davon. Da Hans gegen Adolf Hitlers Diktatur ist, gründet er in München mit anderen Medizinstudenten die Gruppe „die Weiße Rose". Bald macht Sophie, die seit 1942 in München studiert, mit. Bei einer spektakulären Aktion in der Münchner Uni am 18. Februar 1943 werden Sophie und Hans bei der Gestapo denunziert. Vier Tage später sterben sie auf dem Schafott.

Jeder kennt wohl die Brüder Grimm. Aber wer sind sie wirklich? Jacob (1785-1863) und Wilhelm (1786-1859) sind die zwei ältesten von insgesamt neun Geschwistern. Beide interessieren sich für Mythen und Sagen. 1812 veröffentlichen sie gemeinsam den 1. Band der „Kinder- und Hausmärchen". 1830 wird Jacob Bibliothekar und Professor in Göttingen. Sein Bruder wird auch Bibliothekar in Göttingen. Nach dem Tod Wilhelms IV. im Jahre 1837 protestieren sie mit fünf anderen Professoren gegen den neuen König. Drei Jahre lang müssen sie deshalb in Kassel im Exil leben, bis der König von Preußen sie nach Berlin einlädt. Bis zu ihrem Tod leben die beiden Brüder in Berlin zusammen.

Alles klar?

1. Wer sind diese Geschwister? Warum sind sie bekannt?
2. Wie verstehen sich die Geschwister? Rechtfertige deine Antwort.
3. Nenne drei wichtige Ereignisse im Leben jedes Geschwisterpaars.

Unser Projekt

Einen Comic erstellen

1. Lies noch einmal den Text über Rudolf und Adolf Dassler. Was erfährst du über ihren Charakter und ihre Talente?

2. Such andere Informationen über die Dasslers (Geburts- und Todesdatum der Brüder, Name der Ehefrauen, Geschichte der Familie zwischen 1939 und 1945, ...).

3. Erstell einen Comic über die Brüder Dassler (Minimum 5 Bilder mit Texten). Gib deinem Comic einen Titel.

WEBSITES FÜR INFOS
http://www.presseportal.de/
http://www.whoswho.de/

Jetzt kannst du's!

 Vers la validation **A2**

 Classe → Cahier d'activités p. 63

1 Die Super Nanny

OBJECTIFS : Comprendre ce qui caractérise les membres d'une famille, comprendre des règles de la vie familiale.

OUTILS : Le lexique des activités de la vie quotidienne, les verbes de modalité.

Katja Saalfrank

Écoute le dialogue entre la Super Nanny et Ilias et repère :

A1	**1.**	qui est Ilias.
	2.	ce qui s'est produit juste avant la conversation.
A2	**3.**	comment Ilias a réagi face à cette situation.
	4.	les informations fournies au sujet des enfants.
A2+	**5.**	les conseils donnés par la Super Nanny.

→ Cahier d'activités p. 63

2 Besuch aus England

OBJECTIF : Échanger au sujet d'une situation proche du conflit.

OUTILS : Les interjections et les exclamations, le marquage du groupe nominal défini, les verbes de modalité.

Ewald reçoit son correspondant anglais Jasper. Les deux garçons ne s'entendent pas. Ewald en parle à ses parents.

Tu es Ewald. Peux-tu :

A1	**1.**	t'adresser à tes parents pour leur dire que tu as un problème ?
A2	**2.**	parler de l'attitude de Jasper ?
A2+	**3.**	exprimer ton agacement ?

Tu es l'un des parents. Peux-tu :

A1	**1.**	demander à Ewald quel problème il a ?
A2	**2.**	faire part de ton opinion face à la situation ?
A2+	**3.**	donner des conseils à Ewald ?

→ Cahier d'activités p. 64

3 ## Das 1. Mehrgenerationenhaus

OBJECTIF : Comprendre les étapes clés d'un projet familial.

OUTILS : Le lexique lié à la réalisation d'un projet, les compléments de temps.

9. November 2008 - **Oberbergische Zeitung** Seite 3

Das erste Mehrgenerationenhaus in Deutschland

2006 hat das Bundesfamilienministerium das Aktionsprogramm Mehrgenerationenhäuser gestartet. Inzwischen sind 500 solcher Häuser entstanden. Darüber freuen sich die Webers, die vor genau 15 Jahren ein völlig neues Wohnprojekt für Jung und Alt realisieren wollten und so das erste Mehrgenerationenhaus in Deutschland gegründet haben. „Für uns war es am Anfang gar nicht so einfach", so Adelheid Weber. „Nach dem Kauf des Bauernhofs brauchten wir Geld für die Renovierung und haben keine Subvention von der Stadt bekommen." „Unser Haus sollte niemals ein Seniorenheim sein", fügt Bernhard Weber hinzu. „Es sollte immer ein Haus für alle Generationen sein, wo Jung und Alt gemeinsam essen, zusammen spielen und reden, einander helfen und respektieren. Das haben die Leute lange Zeit nicht verstanden." Seit März 2007 wohnt „Großfamilie" Weber in Marienheide. Das erste Mehrgenerationenhaus lebt also weiter!

Lis l'article de journal et indique :

A1 1. quand la famille Weber a déménagé pour la dernière fois.

A2 2. quand exactement la première maison a été créée en Allemagne.

3. le moment où une aide financière aurait été souhaitable.

A2+ 4. en quoi consiste le projet de la famille Weber.

→ Cahier d'activités p. 64

4 ## Das Austauschkind

OBJECTIF : Présenter une histoire pour inciter à la lecture.

OUTILS : Les prépositions suivies de l'accusatif, le génitif, la subordonnée relative, les compléments de temps.

L'histoire d'Ewald et de Jasper est un roman de Christine Nöstlinger, *Das Austauschkind*. Imagine la quatrième de couverture de ce livre.

En t'aidant de l'illustration page 88, peux-tu :

A2 1. indiquer le sujet du roman ?

2. caractériser précisément les deux personnages principaux ?

A2+ 3. évoquer le début du séjour de Jasper à Vienne ?

Skript

Familienalltag

Station 1

Piste 25

Wie kommen wir hin?

Mutter: Gib mir bitte den Plan, Iris. Wir laufen schon zum zweiten Mal hier vorbei.

Iris: Da.

Mutter: Also, wir sind hier. Das ist der Kleinkinder-Stand.

Jana: Da sollte Iris hin.

Iris: Hör auf!

Mutter: Jana, kannst du nicht mal zwei Minuten Ruhe geben? Also. Wir sind hier und müssen dahin.

Vater: Wir müssen nach rechts. Das sage ich schon seit zehn Minuten.

Mutter: Aber wir sind vorhin nach rechts gegangen und …

Vater: Entschuldigen Sie bitte! Wir wollen zum Mehrgenerationenhäuser-Stand und laufen ständig im Kreis. Können Sie uns sagen, wie wir da hinkommen?

Besucher: Klar. Sehen sie den grünen Punkt da auf Ihrem Plan? Das ist der Gesundheitsstand. Da müssen Sie hin. Gleich neben diesem Stand ist eine Imbissbude.

Mutter: Da ist die nette Frau, die selbst gemachten Apfelkuchen verkauft?

Besucher: Genau. Dann bei der Imbissbude geht es nach rechts am Freizeitstand vorbei.

Mutter: Das ist der Stand, der rot gekennzeichnet ist.

Besucher: Ja. Und der Stand der Mehrgenerationenhäuser ist gleich dahinter.

Jana: Vielen Dank. Los, kommt!

Mutter: Sei doch nicht so ungeduldig.

Besucher: Hübsche Töchter haben Sie. Wie heißt ihr denn?

Jana: Ich heiße Jana und meine Zwillingsschwester Iris.

Besucher: Die sehen sich ja so ähnlich! Wie können Sie sie denn auseinanderhalten?

Mutter: Ach, eine Mutter kann das.

Vater: Ein Vater auch. Und Iris ist viel ruhiger als Jana. Jedenfalls vielen Dank für die Auskunft.

Besucher: Bitte. Einen schönen Tag noch. Auf Wiedersehen.

Jana: Tschüs!

Iris: Mama, was ist ein Mehrgenerationenhaus?

Mutter: Das ist ein Haus, das mehrere Generationen zusammenbringt. Dort können sich Jung und Alt tagsüber treffen, sich austauschen, miteinander essen, Karten spielen … oder auch zum Beispiel Schülern bei den Hausaufgaben helfen.

Vater: Ja. In manchen Mehrgenerationenhäusern kann man auch wohnen. Die Bewohner helfen einander.

Jana: Toll! Gehen wir!

Dialog 1

Opa: Rotkäppchen geht also durch den Wald, um für seine Oma Blumen zu pflücken.

Tim: Wie dumm von ihr! Während sie das tut, geht der Wolf zur Oma und frisst sie.

Opa: Na, du kennst die Geschichte aber gut!

Tim: Opa! Du hast sie mir schon ein paar Mal erzählt.

Opa: Oh!

Dialog 2

Filip: Was guckst du da für 'n Scheiß?

Lena: Das ist kein Scheiß, das ist *Schloss Einstein*.

Filip: Ohne mich!

Lena: Du spinnst wohl! Schalt sofort wieder zurück!

Filip: Ich denke nicht daran.

Lena: Verdammt, gib mir die Fernbedienung!

Filip: Ich mag nicht.

Lena: Ich bring' dich um! Warte, wenn Mama kommt!

Dialog 3

Mutter: Wie sieht's denn hier aus?! Hab' ich nicht gesagt, du sollst dein Zimmer aufräumen?

Eva: Ich habe aufgeräumt!

Mutter: Machst du dich über mich lustig? Hier liegen schmutzige Socken, dort deine Schuhe, überall Puzzleteile, das nennst du aufgeräumt?

Eva: Du nervst mit deinem Aufräumsyndrom. Das ist MEIN Zimmer. Wie es hier aussieht, geht dich nichts an!

Mutter: Was du nicht sagst! Solange ich hier sauber mache, geht mich das sehr wohl etwas an.

Eva: Dann mach eben nicht mehr sauber!

Dialog 4

David: Was machst du?

Martina: Siehst du das nicht? Ich lese.

David: Worum geht es?

Martina: Es geht um ein Mädchen, das unbedingt reiten möchte. Aber ihre Eltern haben kein Geld und können keine Reitstunden zahlen. Sie geht jeden Tag zum Reitstall und hilft beim Saubermachen und Füttern. Und dann darf sie dafür gratis reiten lernen.

Dialog 5

Almut: Du hast vielleicht Nerven! Du wolltest heute früher nach Hause kommen, erinnerst du dich?

Arno: Mensch Almut, nun reg dich doch nicht wegen einer kleinen Stunde auf.

Almut: Wir wollten ins Theater gehen! Du hast DREI Stunden Verspätung.

Arno: Wir können auch ein anderes Mal ins Theater gehen. Ich bin ohnehin zu müde.

Almut: Das hast du schon letztes Mal gesagt. Ich halte das nicht mehr aus!

Arno: Du hältst in letzter Zeit gar nichts aus. Lass mich jetzt in Ruhe.

Almut: Du wirst dich wundern, wie ich dich in Ruhe lasse. Ich kann gegen deine Arroganz ja sowieso nichts tun. Ich will es auch gar nicht mehr versuchen …

Erzähle, wie es war!

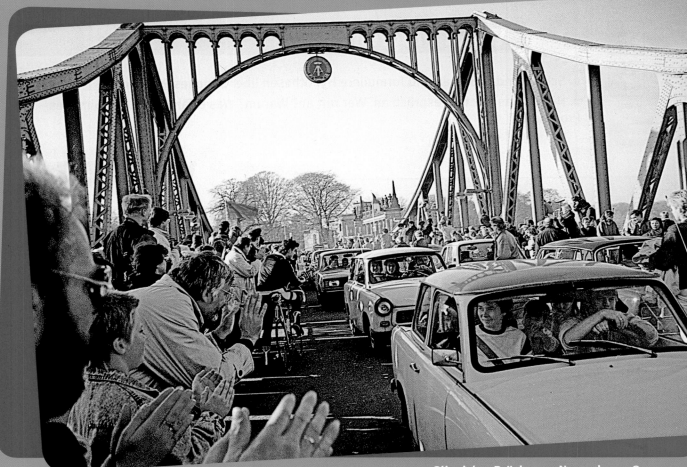

Glienicker Brücke, 10. November 1989

Je vais apprendre à...

 Écouter
- Repérer le temps d'un récit.
- Comprendre des informations sur la vie quotidienne autrefois.
- Comprendre un témoignage sur un événement historique.
- Comprendre les sentiments exprimés par quelqu'un.

 Lire
- Comprendre un récit historique au passé.
- Comprendre les différentes phases d'une période historique.

 Parler en continu
- Raconter une histoire au passé.

 Parler avec quelqu'un
- Échanger des avis au sujet de différents films.
- Me renseigner sur ce que faisait quelqu'un à un moment particulier.

 Écrire
- Rédiger un court article au passé.
- Écrire la critique d'un film.

Unser Projekt

 Faire un album de souvenirs.

Gestern, heute, morgen

1 **Volles Programm!**

a. Schau dir das Bild an und formuliere Hypothesen über Simones Programm.

b. Hör dir das Telefongespräch an. Wer ruft an? Warum? Was erfährst du über Simones Programm?

Piste 34

➔ Cahier d'activités p. 65

VIDEOWELT

2 Filme ausleihen
Nur 1 Film bezahlen

= 50% Rabatt

Neu
SPIELFILME
AUF BLU-RAY DISC
JETZT BEI UNS IM VERLEIH!

Nicht vergessen!
Am Samstag Paula am
Bahnhof abholen!!!
14^{53} / ICE Nr. 3371
Gleis 3

Donnerstag 21. Juni

* Mathe:
S. 76 Nr. 1

* Musik:
Beethovens Biografie

Vokabeln

| etwas *ausleihen* | *emprunter quelque chose* |
| die Schlacht | *la bataille* |

Hier und dort

| der Beste | the best |
| fallen | fall |

Sprechtraining

- L'accent de groupe
- L'inflexion des voyelles

➔ Cahier d'activités p. 66

Piste 35-36

2 Kamera läuft!

Schau dir das Bild aus dem Film *Französisch für Anfänger* an und lies die Notizen des Regisseurs.

a. Dein(e) Freund(in) hat den Anfang des Films verpasst. Erzähl ihm / ihr, worum es geht und was vorher geschehen ist.

> **BEISPIEL:** Es geht um ... Zuerst ... Aber dann ... Also ...

b. Schlag für die Szene 6 einen Audio-kommentar für blinde Zuschauer vor.

c. Schreib das Drehbuch von der nächsten Szene. Sei kreativ!

> ➔ Cahier d'activités p. 66

- Schulaustausch mit Frankreich
- Hauptfigur: Henrik
  ▶ Zuerst nicht beim Austausch mitmachen wollen
  ▶ eine Halbfranzösin kennen lernen / sich in sie verlieben
  ▶ sich für den Austausch anmelden
Szene 6
  ▶ nach Frankreich fahren
  ▶ im Bus sitzen
  ▶ ängstlich aussehen
Szene 7 ???

3 Film-Hitliste

Kommentiere die Film-Hitliste der Klasse 8a des Gutenberg-Gymnasiums.

> **BEISPIEL:** Für die Klasse 8a ist ... der lustigste Film / die beste Komödie.

Hitliste der Klasse 8a

Fantasyfilm	*Twilight*
Liebesfilm 😊	*Sommer*
Komödie 😄	*Keinohrhasen*
Actionfilm 💥	*Fast and furious*
Horrorfilm 😱	*Saw 6*
Abenteuerfilm	*Die Chroniken von Narnia*
Drama	*Romeo und Julia*
Historienfilm	*Goodbye, Lenin!*
B-Movie 😕	*Crank 2*

Vokabeln

fantastisch
gruselig *effrayant*
interessant ≠ langweilig
lustig ≠ traurig
romantisch
spannend *captivant*

Zwischenstation

■ **Einen kurzen Artikel über einen Film schreiben**

a. Erstellt die Film-Hitliste eurer Klasse.

b. Such dir einen Film aus und schreib dazu einen kurzen Artikel in ein Kino-Forum (Zusammenfassung und Kommentar).

Ich kann's

> ↻ Je sais repérer le temps d'un récit.
> ↻ Je comprends l'emploi du temps de quelqu'un.
> ↻ Je sais raconter brièvement le contenu d'un film.
> ↻ Je sais donner mon avis sur un film pour élaborer un palmarès.

Imperium, Konflikt, Mythos

1 **Römer gegen Germanen**

Um ihr Referat vorzubereiten, geht Simone zu einer Ausstellung über die Varusschlacht.

a. Wer waren die zwei Protagonisten der Schlacht? Nenne die wichtigen Etappen in Arminius' Leben.

b. Wo und wann fand die Schlacht statt? Nenne Indizien für einen Sieg der Römer / der Germanen. Wer siegte zum Schluss?

➜ Cahier d'activités p. 68

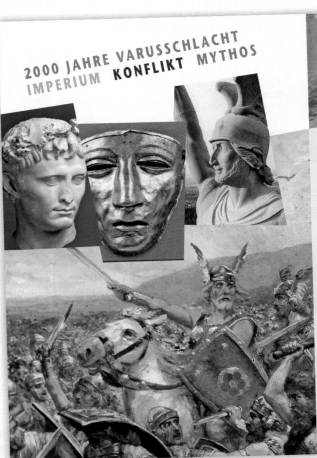

2000 JAHRE VARUSSCHLACHT
IMPERIUM KONFLIKT MYTHOS

Arminius wurde im Jahre 16 vor Christus als Sohn eines germanischen Chefs in Norddeutschland geboren. Damals hatte das römische Imperium die stärkste Armee, und viele Truppen waren dort stationiert.

Mit 10 Jahren kam Arminius als Geisel nach Rom. Später wurde er Offizier und lernte so die römische Taktik und Strategie kennen.

Im Jahre 7 nach Christus kehrte er als Chef germanischer Truppen nach Germanien zurück, wo der römische Chef Varus das Kommando hatte. Arminius und Varus wurden Freunde, aber zwei Jahre später machte Arminius ein Komplott, um die Expansion der Römer zu stoppen: Er lockte Varus und seine Legionen in den Wald, wo die Kommandostruktur der Römer nicht funktionierte. Da attackierten die Germanen. Am zweiten Tag war das Wetter sehr schlecht. Die Römer hatten keine Chance. Und so begann die Legende der „Varusschlacht", die heute als die größte militärische Katastrophe des Imperiums gilt.

Vokabeln

locken	*attirer*
die Geisel	*l'otage*
der Sieg	*la victoire*
der Wald	*la forêt*

Sprechtraining

■ [ʃp] et [ʃt]
■ Voyelles longues ou brèves (2)

Élève

➜ Cahier d'activités p. 69

Pistes 37-38

2 Wie lebten die Germanen?

a. Hör dir die Kommentare des Museumsführers an. Nenne die Etappen.

> **BEISPIEL:** Zuerst geht es um ... Dann ... Zum Schluss ...

b. Mach dir Notizen und mach ein Referat über den Alltag der Germanen.
→ Cahier d'activités p. 69

THEMEN DER AUSSTELLUNG

Wohnen

Aussehen und Kleidung

Essen und Trinken

Hier und dort

Brot	bread
Finger	finger
Haar	hair
Honig	honey
Milch	milk

Vokabeln

essen	→ er aß
geben	→ es gab
tragen	→ er trug
trinken	→ er trank
waschen	→ er wusch

Zwischenstation

■ **Einen Bericht über den Alltag der Gallier schreiben**

Erkläre der Partnerklasse, wie die Gallier lebten (Wohnen, Essen, Aktivitäten ...).

Ich kann's

- Je comprends un récit historique au passé.
- Je comprends la chronologie d'un récit.
- Je comprends des informations sur la vie quotidienne autrefois.
- Je sais décrire des modes de vie.

Wie war das damals?

1 Wir sind ein Volk!

a. Lies die E-Mail. Warum schreibt Paula?

b. Lies den Artikel und erstelle eine Zeittafel der deutschen Geschichte (Gründung der BRD und der DDR / Bau der Berliner Mauer / Fall der Berliner Mauer / Wiedervereinigung).

c. Wie alt ist Maria heute? Welches Gefühl empfand sie beim Fall der Mauer?

➔ Cahier d'activités p. 71

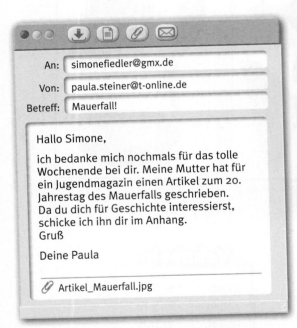

An: simonefiedler@gmx.de

Von: paula.steiner@t-online.de

Betreff: Mauerfall!

Hallo Simone,

ich bedanke mich nochmals für das tolle Wochenende bei dir. Meine Mutter hat für ein Jugendmagazin einen Artikel zum 20. Jahrestag des Mauerfalls geschrieben. Da du dich für Geschichte interessierst, schicke ich ihn dir im Anhang.
Gruß

Deine Paula

🖇 Artikel_Mauerfall.jpg

1. BRD: Bundesrepublik Deutschland
2. DDR: Deutsche Demokratische Republik

20 JAHRE MAUERFALL!

Gestern waren zehntausend Menschen zum 20. Jahrestag des Mauerfalls in Berlin. Am Abend war der Fall einer symbolischen Mauer aus Dominosteinen einfach grandios und emotionsreich. Denn 40 Jahre lang war Deutschland – und auch Berlin – in 2 Teile geteilt. Im Westen gab es die BRD[1], im Osten die DDR[2]. Viele DDR-Leute wollten in den Westen fliehen, weil sie sich nicht frei fühlten. Deshalb baute das ostdeutsche Regime 1961 eine Mauer. Soldaten mit Maschinenpistolen bewachten die Grenze und viele Menschen starben auf der Flucht.
Vor 20 Jahren begannen DDR-Bürger gegen die Mauer und für mehr Freiheit zu protestieren. Schließlich fiel die Mauer in der Nacht vom 9. zum 10. November.
Maria, die 21 Jahre alt war, als die Mauer fiel, berichtet: „Das Ende der Teilung ist einer der glücklichsten Momente meines Lebens."
Nur ein knappes Jahr später wurde Deutschland wieder vereinigt.

Ursula Steiner, 10.11.09

Vokabeln

bauen	*construire*
fliehen	*s'enfuir*
die Flucht	
die Wiedervereinigung	*la réunification*

Sprechtraining

■ [ɪ] ou [iː]
➔ Cahier d'activités p. 72

Piste 39

Élève

2 Erinnerungen

Hör dir die Aussagen an.
a. Auf welche Zeit beziehen sich die befragten Personen?
Vor dem Mauerfall? Als die Mauer fiel? Ein paar Jahre
nach dem Fall der Mauer?
b. Welche Gefühle drücken die Leute aus? Rechtfertige
deine Antwort.

→ Cahier d'activités p. 72

Vokabeln

ängstlich
beeindruckt   *impressionné*
begeistert   *enthousiaste*
enttäuscht   *déçu*
erstaunt   *surpris*
neugierig

3 Was machten sie damals?

Was machten Katja, Maria, Markus und Beate, als folgende Ereignisse stattfanden?
Gruppe 1 stellt Gruppe 2 Fragen.
Gruppe 2: Seite 10.

BEISPIEL: Als die Mauer fiel, ...

→ Cahier d'activités p. 72

1961 Das ostdeutsche Regime baute die Berliner Mauer.

1978 Sigmund Jähn flog als erster Deutscher ins All.

1989 Die Mauer fiel.

1990 Deutschland gewann die Fußball-WM.

„..." Maria K.

① „Meine Eltern und ich waren bei Freunden in West-Berlin zu Besuch." Katja P.

„..." Beate S.

③ „Ich war ein kleiner Junge und lag schon in meinem Bett." Markus M.

Zwischenstation

■ **Einen Artikel über ein markantes Ereignis schreiben**

Such dir ein Ereignis aus und schreib für die Schülerzeitung einen kurzen Artikel im Präteritum (Wann? Wo? Wer? Was?). Illustriere dann deinen Text mit einem Bild.

Ich kann's

- Je comprends un témoignage.
- Je comprends des sentiments.
- Je sais situer des événements dans le passé.
- Je sais rédiger un court article au passé.

Geschichte erleben

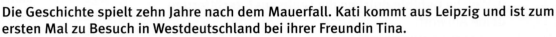

1 **Köln-Leipzig und zurück**

Die Geschichte spielt zehn Jahre nach dem Mauerfall. Kati kommt aus Leipzig und ist zum ersten Mal zu Besuch in Westdeutschland bei ihrer Freundin Tina.

a. Lies die Briefe. Sammle die positiven und negativen Aspekte von Katis Aufenthalt in Köln. Was fällt ihr besonders auf?

b. Du bist Kati. Schreib nach deinem Besuch einen Dankesbrief an deine Freundin Tina.

c. Erzähl deiner besten Freundin, wie es in Köln war.

Köln, den 29. Dezember

Liebe Mama!
Seit meinem Anruf gestern Abend weißt du schon, dass ich heil angekommen bin. [...] Tina hat ein schönes großes Zimmer, genug Platz für uns beide. Das Haus, in dem sie mit ihrer Familie wohnt, ist gar nicht viel anders als bei uns. Auch hier wohnen sechs Familien, je zwei auf einer Etage. [...] Man hat einen weiten Blick auf die Stadt von hier. Tinas Vater hat mich gleich nach meiner Ankunft zu einem Fenster geführt, um mir den Dom zu zeigen. „Für jeden echten Kölner ist der Dom das wichtigste Gebäude der Welt", hat er mir in breitem Dialekt erklärt. [...] Tinas Eltern sind wirklich nett und locker. [...] Tina ist wirklich lustig, aber euch vermisse ich doch.
Viele Grüße an Papa, Bernd und Roland und ein Küsschen für dich, Mama.
Deine Kati

Köln, den 30. Dezember

Liebe Mama!
Morgen ist Silvester. Tina hat ganz viele Knaller und Raketen eingekauft, auch [...] Girlanden, Papierblumen und Konfetti. Damit wollen wir das Haus schmücken.
Tinas Vater hat Kisten mit Bier, Wein, Sekt, Limo und Saft angeschleppt und Tinas Mutter hat bei einem Party-Service kalte Platten bestellt. [...]
Was die an Geld ausgeben[1]! Wenn Tina nicht am Telefon hängt, ruft ihre Mutter irgendwelche Leute an. [...] Hier stehen zwei Computer, aber bisher habe ich noch nie gesehen, dass einer davon benutzt wurde. Hier gibt es überhaupt viel doppelt: zwei Klos, zwei Fernseher, zwei Sofas im Wohnzimmer, zwei Autos, na ja, und zwei Verdiener. Tinas Mutter hat auch einen Job. Du hattest mich danach gefragt und ich wusste es nicht. Sie arbeitet vormittags bei einem Rechtsanwalt[2]. Ihr Chef ist heute Abend auch eingeladen, hat Tina erzählt. Es wird wohl ein ganz großes Fest. [...] Die Kölner sind wirklich fröhliche Leute.
Gestern waren Tina und ich im Kino. Ich hatte wenig Lust, aber sie musste unbedingt diesen Film sehen. (Er war ziemlich blöd, Klamauk im Weltraum). Tina hat beide Kinokarten bezahlt. Ich wollte mich nicht einladen lassen. Aber Tina bestand darauf. [...]

→

Mir ist das unangenehm[3]. Das habe ich ihr auch gesagt. „Vergiss es", hat sie gemeint. „Kauf dir lieber eine CD oder ein hübsches Andenken an Köln. [...] Lass dich ruhig einladen. Du musst dir nichts dabei denken."

Aber ich denke mir doch was dabei. Geldsausgeben geht bei den Wessis wie's Luftholen. [...] Aber ich habe hier auch Menschen in den Straßen gesehen, die sehr elend[4] aussahen [...]. Die Wessis sind auch nicht alle reich[5].

Wenn ich wieder nach Hause komme, gibt es noch viel zu erzählen. Ich hoffe, es geht euch gut. [...]

Ganz herzliche Grüße eure Kati

Neujahr in Köln

Liebe Eltern!

Ein frohes neues Jahr. [...]

Es ist beinahe halb elf. Alle schlafen noch. [...] Die Silvesterfeier war reichlich turbulent. Dauernd kamen Leute vorbei und brachten haufenweise gute Laune. [...] Aber Tina war enttäuscht, denn von ihren Bekannten waren nur drei Jungen und zwei Mädchen gekommen. [...] Pia und Frank verabschiedeten[6] sich schon nach einer Stunde wieder. Stephan kriegte mit seiner Freundin Anke kurz vor Mitternacht Stress. Anke haute einfach ab[7]. Fünf Minuten später rannte Stephan los, um Anke zu suchen. Zurück blieb Michael, der alles andere als eine Frohnatur ist. [...] Tina fing an zu weinen. [...] Dann wollte sie unbedingt mit einer Freundin telefonieren [...]. Sie verschwand mit ihrem Handy auf einem der beiden Klos. Und ich blieb allein zurück. [...]

Als Tina endlich kam, haben wir die Tür von innen verriegelt. Sie hat sich aufs Bett geworfen und wollte nicht reden. [...]

Wenn es gut geht, erreicht euch mein Neujahrsgruß noch vor meiner Ankunft. Wenn nicht, lese ich ihn euch übermorgen vor.

Eure Kati

Nina Rauprich, Köln-Leipzig und zurück
© Ellermann, 2000

---

1. Geld *aus*geben *dépenser de l'argent* **2.** der Rechtsanwalt *l'avocat* **3.** unangenehm *désagréable*
4. elend *misérable* **5.** reich *riche* **6.** sich verabschieden *prendre congé* **7.** abhauen *se casser*

Video — Wir sind wir

 Schau dir den Videoclip des Songs von Paul van Dyk & Peter Heppner an.

a. Welche Etappen der deutschen Geschichte erkennst du?

b. Du bist der Journalist im Videoclip. Schreib einen kurzen Artikel über das Jahr 1961.

Sprache aktiv

→ Cahier d'activités p. 67
→ Mémento grammatical p. 129

Station 1

1 Le superlatif

• Le superlatif exprime le plus haut degré de qualité. On le forme en ajoutant **-st** à l'adjectif épithète, qui conserve en outre sa terminaison. L'adjectif épithète au superlatif est toujours précédé d'un article défini ou d'un déterminant possessif.

lustig → lustig**st**- → die lustig**st**e Komödie
schön → schön**st**- → meine schön**st**en Fotos

⚠ Pour les adjectifs se terminant par -t, -d, -s et -z, on ajoute un e intercalaire :
der interessant**est**e Film

• Comme au comparatif, certains adjectifs prennent l'inflexion :
jung → das jüngste Mädchen
groß → das größte Tier
hoch → das höchste Gebäude

⚠ Forme irrégulière :
gut → der **best**e Schüler

1 Prépare des questions pour un sondage sur les médias.

der Moderator (sympathisch) → Wer ist der sympathischste Moderator?

a. der Schauspieler (gut)
b. die Sängerin (attraktiv)
c. das Topmodell (schön)
d. das Videospiel (kreativ)
e. der Song (cool)
f. der Film (schlecht)

2 Complète les énoncés en mettant l'adjectif entre parenthèses au superlatif.

a. Der Rhein ist der ... Fluss Deutschlands. (lang)
b. Der ... Berg ist die Zugspitze. (hoch)
c. Der ... See ist der Bodensee. (groß)
d. Bremen ist das ... Bundesland. (klein)
e. Trier ist die ... Stadt Deutschlands. (alt)
f. Das Brandenburger Tor ist das ... Denkmal. (bekannt)

→ Cahier d'activités p. 70
→ Mémento grammatical p. 132

Station 2

1 Le prétérit

Pour décrire un fait situé dans le passé, on peut utiliser le prétérit.

• Le prétérit des verbes faibles se forme en ajoutant la marque **-te** au radical.

⚠ Les verbes se terminant par -t ou -d prennent un e intercalaire : er arbeit**ete**

• Pour les verbes forts, la voyelle du radical change.

Voir la liste des verbes forts p. 133 et 134.

Verbes faibles (*spielen*)	Verbes forts (*kommen*)
ich spielte∅	ich kam∅
du spieltest	du kamst
er/sie/es spielte∅	er/sie/es kam∅
wir spielten	wir kamen
ihr spieltet	ihr kamt
sie/Sie spielten	sie/Sie kamen

3 Classe les verbes suivants selon qu'ils sont faibles ou forts et retrouve l'infinitif.

kam – half – hörte – ging – trank – kaufte – aß – trug – machte – begann – gab – wurde – war – konnte

4 Mets les verbes entre parenthèses au prétérit pour reconstituer la biographie de l'acteur Daniel Brühl. Vérifie aux pages 133 et 134 si les verbes sont forts.

a. Daniel Brühl (werden) 1978 geboren.
b. Mit acht Jahren (gewinnen) er einen Vorlesewettbewerb.
c. Er (besuchen) das Dreikönigsgymnasium in Köln und (sein) Sänger in der Schulmusikgruppe.
d. Die Hauptrolle im Film *Good Bye, Lenin!* (machen) ihn weltweit bekannt.
e. Er (bekommen) den Europäischen Filmpreis als Bester Hauptdarsteller.

Station **3**

→ Cahier d'activités p. 73
→ Mémento grammatical p. 125

1 La subordonnée temporelle avec *als*

Pour situer dans le passé un événement unique ou une durée, on utilise la conjonction de subordination *als*. La subordonnée peut occuper la première place. Dans ce cas, le verbe de la principale se place en 2ᵉ position.

Als die Mauer **fiel**, **war** ich sehr glücklich.
     1   2

Als ich in Hamburg **wohnte**, **fuhren** wir sehr oft
   1   2
an die Nordsee.

5 Qui suis-je ? Relie les énoncés pour situer les éléments biographiques de ce personnage célèbre.

a. Ich war vier Jahre alt / Mein Vater gab mir meinen ersten Musikunterricht.

b. Ich war noch sehr jung / Ich reiste mit meinen Eltern und meiner Schwester Nannerl durch ganz Europa.

c. Ich war 10 Jahre alt / Ich komponierte meine ersten Sonaten für Klavier und Violine.

d. Wir waren in London / Ich lernte Johann Sebastian Bach kennen.

e. Ich kehrte 1779 nach Salzburg zurück / ich wurde Hoforganist.

f. Ich wohnte 1781 in Wien / ich verliebte mich in Constanze Weber.

g. Mein Vater starb / Ich komponierte *Don Giovanni*.

Vokabeln Kurz und gut

1 Zeitangaben

40 Jahre lang
als ich 10 Jahre alt war
mit 10 Jahren
1989 / im Jahre 1989
zwei Jahre später
seit 3 Jahren
vor 20 Jahren
vor dem Mauerfall
nach dem Fall der Mauer
am ersten / zweiten / dritten Tag
gestern
heute
eines Tages

zuerst
dann
zum Schluss

2 Markante Geschichte

der Germane (-n)
der Römer (-)
die Schlacht (-en)
der Sieg (-e)
siegen

die BRD
die DDR
die Mauer
bauen → der Bau
fallen → der Fall
fliehen → die Flucht

der Jungpionier (-e)
der Trabi (-s)
die Wiedervereinigung

3 Gefühle

ängstlich
beeindruckt
begeistert
enttäuscht
erstaunt
glücklich ≠ traurig
neugierig

4 Eindrücke

fantastisch
gruselig
interessant ≠ langweilig
lustig ≠ traurig
spannend

Endstation

Mein Familienfotoalbum

Julia Kerner wuchs in der DDR auf und erinnert sich an ihre Kindheit.

Unser Wohnzimmer

Ich wurde am 23. Mai 1974 in Chemnitz geboren. Damals hieß die Stadt Karl-Marx-Stadt. Dort hatte ich eine glückliche Kindheit. Ich lebte in dieser Wohnung mit meiner Familie. Sie war nicht sehr groß, aber wir hatten alles, was wir brauchten. Auf dem Foto siehst du unser Wohnzimmer mit dem alten Fernseher. Offiziell gab es nur zwei TV-Programme. Aber in Wirklichkeit hat jeder auch Westfernsehen geschaut.

Mit 6 kam ich in die Grundschule. Der Unterricht begann um 7 Uhr und endete meistens gegen 16 Uhr. Auch samstags hatten wir Schule! Mittags haben wir in der Schulkantine gegessen. Damals wurde ich auch Jungpionier. Die Jungpioniere waren eine Kinderorganisation. Einmal pro Woche war Pioniernachmittag. Dadurch lernten wir, uns zu organisieren. Und wir machten gemeinsam Ausflüge und organisierten Bastelnachmittage. Als Jungpionier bekam man eine Uniform: Die Mädchen trugen einen blauen Rock, eine weiße Bluse und ein rotes Halstuch.

Da bin ich mit Freunden bei den Jungpionieren

Ich freute mich jedes Mal auf Westbesuch! Unsere Verwandten brachten immer viele Dinge mit, die in der DDR schwer zu finden oder sogar verboten waren: aufgetragene Jeans, Musikkassetten mit den neuesten Hits aus den westdeutschen Charts, Nutella und vieles mehr. Für meine Eltern bedeutete es aber eine Menge Stress, denn sie mussten Lebensmittel organisieren, Theaterkarten vorbestellen, Ausflüge planen und Schlafmöglichkeiten schaffen.

Meine Verwandten aus Köln

Mein Bruder Markus

Im Sommer hatten wir von Juli bis Ende August Ferien. Wir durften nicht reisen, wohin wir wollten, so fuhren wir meistens an die Ostsee auf einen Campingplatz. Der Trabi auf dem Foto war unser Auto. Meine Eltern mussten 9 Jahre drauf warten!
Als ich 12 Jahre alt war, fuhr ich zum ersten Mal ins Ferienlager. Es war eine tolle Zeit. Ich erinnere mich noch ganz gut an die Nachtwanderungen, Diskoabende und Lagerfeuer am Strand.

Alles klar?

1. Beziehen sich folgende Wörter auf die BRD oder auf die DDR?
Karl-Marx-Stadt / Jungpionier / Köln / Jeans / Nutella / Ostsee / Trabi

2. Beschreibe einen normalen Schultag in der DDR.

3. Nenne zwei schöne Erinnerungen aus Julias Kindheit.

Unser Projekt

Ein Fotoalbum mit Kindheitserinnerungen basteln

1. Sammle Fotos und Erinnerungen aus der Kindheit eines Mitglieds von deiner Familie (Wohnort, Schule, Ferien, Anekdoten ...).

2. Schreib zu jedem Foto einen Kommentar.

3. Bastle dein Fotoalbum.

Jetzt kannst du's!

Vers la validation **A2**

→ Cahier d'activités p. 75

1 Film-Rezension

OBJECTIFS : Comprendre un récit au passé, un avis sur un film.

OUTILS : Le prétérit, la subordonnée temporelle avec *als*, le lexique des impressions ressenties

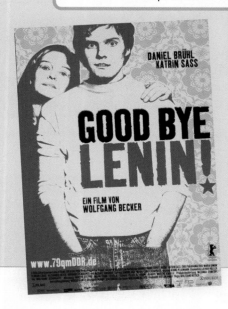

DANIEL BRÜHL
KATRIN SASS

GOOD BYE LENIN!

EIN FILM VON
WOLFGANG BECKER

www.79qmDDR.de

Écoute l'émission de radio enregistrée à la sortie du film *Good Bye, Lenin!* et repère :

A1 **1.** le genre du film.

A2 **2.** l'avis des personnes interviewées.

A2+ **3.** les informations principales concernant le film (où, quand, qui, quoi).

→ Cahier d'activités p. 75

2 Porträt

OBJECTIF : Raconter une histoire au passé, en indiquer la chronologie.

OUTILS : Le prétérit, la subordonnée temporelle avec *als*.

   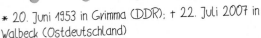

* 20. Juni 1953 in Grimma (DDR); † 22. Juli 2007 in Walbeck (Ostdeutschland)

Deutscher Film- und Theaterschauspieler

• Kindheit in Bad Düben (bei Leipzig)
• 1975-1979: Studium an der Theaterhochschule in Leipzig
• Mauerfall: Schluss mit Theater → Fernsehen und Filme
• Wichige Rollen:
 - Gerichtsmediziner in *Der letzte Zeuge* (Fernsehserie)
 - Stasi-Offizier in *Das Leben der Anderen* (Drama)
 - Hitler in *Mein Führer* (Komödie)
• 2007: Europäischer Filmpreis als bester Hauptdarsteller
• Privatleben:
 3-mal verheiratet
 5 Kinder

À l'occasion d'un hommage à Ulrich Mühe, tu es chargé de le présenter brièvement. Es-tu capable de :

A1+ **1.** présenter Ulrich Mühe et sa famille (nom, profession, informations sur sa famille) ?

A2 **2.** indiquer ses dates et lieux de naissance et de décès ?

3. parler de sa jeunesse ?

A2+ **4.** dire comment a évolué sa carrière lorsque le mur de Berlin est tombé ?

→ Cahier d'activités p. 76

3 Total daneben!

OBJECTIFS : Comprendre un récit et des sentiments exprimés.
OUTILS : Le prétérit, le superlatif, le lexique des sentiments, les indications chronologiques.

Gestern war der schrecklichste Tag meines Lebens! Da mein Handy kaputt war, nahm ich am Morgen das alte Gerät von meiner Schwester. Am Nachmittag ging ich auf Katjas Geburtstagsparty und traf dort einen süßen Jungen. Ich war sehr erstaunt, als er auf mich zukam und mich fragte, ob ich mit ihm tanzen wollte. Es war so romantisch, ich war echt das glücklichste Mädchen auf der Welt! Aber dann klingelte mein Handy. Der totale Horror: Mein Klingelton war irgendein Song von Tokio Hotel! Voll peinlich! Der Junge sprach den ganzen Abend nicht mehr mit mir. Jetzt weiß ich nicht, was ich machen soll. Soll ich ihm eine SMS schicken? Morgen frage ich Katja, ob sie seine Handynummer hat.

Lis cette page du journal intime de Jessica et repère :

A1+
1. le(s) temps du récit.
2. les sentiments qu'elle a éprouvés.

A2
3. l'essentiel de ce qui lui est arrivé (quand, où, qui, quoi).

→ Cahier d'activités p. 76

4 Artikel über das Schulfest

OBJECTIFS : Écrire un récit au passé, raconter brièvement un événement, donner son avis.
OUTILS : Le prétérit, les marqueurs chronologiques.

SCHULFEST-PROGRAMM
Samstag 25. Juli

10:30 Uhr Theateraufführung „Köln-Leipzig und zurück"
11:30 Uhr Rap der Französisch-Schüler aus Klasse 9
14:00 Uhr Fußballturnier
16:00 Uhr Tanzwettbewerb (1. Preis: 2 Karten für ein Musical)

Ausstellungen von Klassenprojekten
• Alltag in einem Germanendorf
• Leben in der DDR
• Das alte Ägypten

Und vieles andere mehr!

Tu as participé dans le cadre d'un échange à la fête de fin d'année de ton école partenaire. Raconte cette fête dans le journal de l'école.

1. Présente l'événement et le programme de la journée.
2. Raconte brièvement l'histoire de la pièce de théâtre que tu as vue.

A2
3. Présente brièvement une des expositions.
4. Donne ton avis sur la journée.

Station 1 — *Piste 34*

Volles Programm!

Simone: Simone Kruse.

Tobias: Hi Simone! Wie gehts?

Simone: Hallo Tobias! Ganz gut. Ich gucke gerade „Französisch für Anfänger" auf DVD. Voll witzig.

Tobias: Kenn' ich nicht.

Simone: Da geht's um einen Jungen, der bei einem Frankreichaustausch mitmacht, weil er in ein Mädchen verliebt ist. Die hat eine französische Mutter und steht total auf Frankreich. Am besten, du siehst dir den Film selber an. Es ist jedenfalls die beste deutsche Komödie, die ich je gesehen habe.

Tobias: Na, dann werde ich ihn ausleihen. Ich wollte übrigens am Wochenende ins Kino. Ich habe dich angerufen, aber es ging nie jemand ran. Wo warst du?

Simone: Ach, wir hatten Besuch aus Leipzig. Meine Cousine Paula. Wir haben einen Ausflug nach Heidelberg gemacht und einen Bummel durch die Altstadt.

Tobias: Ich wusste gar nicht, dass du Ossis in der Familie hast.

Simone: Hey Mann, wo lebst du? Die Mauer ist vor über 20 Jahren gefallen!

Tobias: War nur ein blöder Witz. Ich habe übrigens Familie in Jena.

Simone: Da war ich letztes Jahr! Klasse Stadt!

Tobias: Und was machst du morgen Nachmittag? Hast du da Zeit, ins Kino zu gehen?

Simone: Tut mir leid, aber morgen kann ich echt nicht. Ich muss ein Referat über die Varusschlacht vorbereiten.

Tobias: Über was?

Simone: Die Va-rus-schlacht.

Tobias: Nie gehört.

Simone: Ach komm, Tobias! Es geht um die Niederlage der Römer gegen die Germanen unter der Führung von Arminius.

Tobias: Du meinst die Hermannsschlacht, vor mehr als 2000 Jahren?

Simone: Genau.

Tobias: Na dann, viel Spaß!

Simone: Ha ha!

Tobias: Tschüs und ruf mich an, wenn du Zeit fürs Kino hast.

Simone: Wird gemacht. Tschüs!

Je vais apprendre à...

 Écouter

- Comprendre des indications temporelles.
- Comprendre des informations à la radio.

 Lire

- Comprendre la description d'un métier.
- Comprendre les compétences et les goûts de quelqu'un.

 Parler en continu

- Annoncer un événement situé dans le futur.
- Parler de mes centres d'intérêt et de mes compétences.
- Imaginer mon futur métier.

 Parler avec quelqu'un

- Donner des conseils.
- Exprimer un souhait d'orientation.

 Écrire

- Établir le profil de quelqu'un pour son orientation professionnelle.
- Imaginer ce que je ferai dans dix ans.

Unser Projekt

 Postuler à un stage en Allemagne.

Heute, morgen, übermorgen

Piste 40

1 Jetzt heißt es umplanen!

a. Schau dir das Bild an. Was ist wohl Klemens' Programm heute?

b. Hör dir die Kurznachrichten im Radio an. Welche Informationen geben sie?

c. Welche Konsequenzen haben die Nachrichten auf Klemens' Programm? Was wird er also bestimmt machen?

➔ Cahier d'activités p. 77

Vokabeln

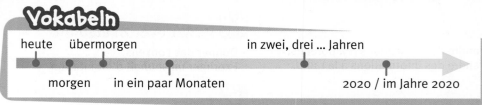

heute   übermorgen   in zwei, drei ... Jahren

morgen   in ein paar Monaten   2020 / im Jahre 2020

Hier und dort

antworten	answer
gewinnen	win
Sonnenschein	sunshine
Ost-	east
Süd-	south

Sprechtraining

- « e » et « en » en fin de mot
- [x], [ç] ou [ʃ]

➔ Cahier d'activités p. 78

Pistes 41-42

2 Wahrsagerspiel

Simon, Silke und Antje spielen Wahrsager. Welche Karte zieht Simon? Und Silke? Und Antje? Was erfahren sie über ihre Zukunft?

BEISPIEL: Simon zieht eine ...-Karte. Er wird ...

➔ Cahier d'activités p. 78

Vokabeln

einen Traum verwirklichen
réaliser un rêve

jemanden verlassen
quitter quelqu'un

3 Astronautenausbildung: der Countdown läuft!

Schau dir die Zeittafel an. Wie wird sich Alexander Gerst auf seinen künftigen Raumflug vorbereiten?

BEISPIEL: Zu Beginn der Ausbildung wird er ... Sechs Monate später ...

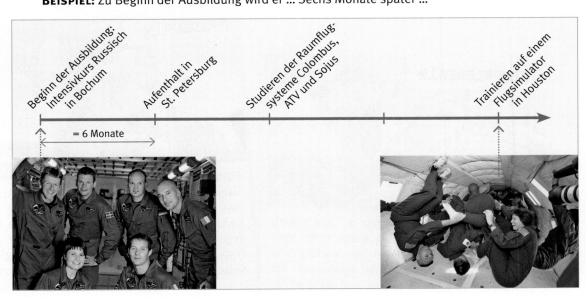

Beginn der Ausbildung: Intensivkurs Russisch in Bochum

= 6 Monate

Aufenthalt in St. Petersburg

Studieren der Raumflug-systeme Colombus, ATV und Sojus

Trainieren auf einem Flugsimulator in Houston

Zwischenstation

■ Sich seine Zukunft vorstellen

Du nimmst an einem Schreibwettbewerb teil. Das Thema ist: „Wie wirst du in 10 Jahren leben?" (Studium / Karriere, Wohnort, Familie, Freizeit ...)

Ich kann's

➲ Je comprends une information à la radio.

➲ Je sais annoncer un événement à venir.

➲ Je sais situer un événement dans le futur.

Perspektiven für die Zukunft

1 **Was passt zu Helene?**

a. Lies die Karte und kommentiere sie.
Was erfahren wir über Helene?

b. Lies dann die Berufskarten. Welche Kompetenzen und Voraussetzungen gehören zu jedem Beruf?

c. Welcher Beruf könnte zu Helene passen? Warum?

➔ Cahier d'activités p. 80

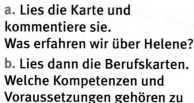

HELENES PROFIL	🙂	😐	🙁
• kommunizieren, beraten und überzeugen	☒	☐	☐
• mich um andere Menschen kümmern	☒	☐	☐
• mit Zahlen umgehen	☐	☐	☒
• mich um Tiere kümmern	☒	☐	☐
• mit meinen Händen arbeiten / manuell geschickt sein	☒	☐	☐
• zeichnen, basteln	☒	☐	☐
• Texte schreiben	☐	☐	☒
• an der frischen Luft sein, auch bei schlechtem Wetter	☒	☐	☐
• früh aufstehen	☐	☒	☐
• Fremdsprachen sprechen	☐	☒	☐

FriseurIn

Hättest du Lust, einen kreativen Beruf auszuüben? Dann wäre FriseurIn was für dich! Friseure können gut zuhören, respektieren die Wünsche ihrer Kunden, geben auch gerne einen Rat. Sie sind gegen Seife, Parfum, Ammoniak nicht allergisch. Friseure können auch Perücken frisieren und sogar selbst herstellen. Sie akzeptieren, am Samstag zu arbeiten.

➔ Die Ausbildung zum Friseur / zur Friseurin dauert drei Jahre und bietet Arbeit in einem Friseursalon, in Hotels, privat, am Theater, oder beim Film.

TierpflegerIn

Um Tierpfleger zu werden, solltest du Tiere mögen, selbst wenn sie keine süßen Babys mehr sind. Tierpfleger haben keine Angst vor Insekten und Reptilien. Sie akzeptieren, früh anzufangen, am Wochenende zu arbeiten, und sie sind gerne an der frischen Luft. Tierpfleger sind geduldig, geben gerne einen guten Rat, können aber auch gut zuhören. Sie können Protokolle schreiben und Kosten planen.

➔ Die Ausbildung zum Tierpfleger / zur Tierpflegerin dauert drei Jahre und bietet drei Fachrichtungen: Forschung und Klinik, Tierheim und Tierpension, Zoo.

Sprechtraining

■ [j], [ʒ] ou [dʒ]
➔ Cahier d'activités p. 81

Piste 43

2 Beim Berufsberater

a. Schau dir das Bild an und kommentiere es.

b. Lies die Notizen des Berufsberaters über Roman. Welche Ratschläge kann er ihm wohl geben?

c. Hör dir den Dialog an. Hast du richtig getippt?

d. Was erfährst du über Jessica? Nun bist du der Berufsberater. Gib ihr Ratschläge.

➔ Cahier d'activités p. 81

• Er ist manuell geschickt und interessiert sich für Feinmechanik.

• Er kann gut zeichnen.

• Er hat keine Kommunikations-probleme.

• Er baut Modellflugzeuge, fotografiert und liebt es, Geräte auseinander- und wieder zusammenzubauen.

• Er interessiert sich auch für Optik.

Vokabeln

Erziehungsbranche	*éducation*
Handels-	*commerce*
Handwerks-	*artisanat*
Industrie-	*industrie*
Kunst-	*art*
Landwirtschafts-	*agriculture*
Pflege-	*socio-médical*

Zwischenstation

■ Über seine Kompetenzen und Berufe sprechen

a. Stell deinem Mitschüler / deiner Mitschülerin Fragen über seine / ihre Interessen, Wünsche und Kompetenzen.

b. Rate ihm / ihr, in welcher Branche er / sie arbeiten könnte.

> **BEISPIEL:** Du könntest ..., du solltest ... .
> ... wäre was für dich.

➔ Cahier d'activités p. 81

Ich kann's

➲ Je comprends et je sais donner des conseils.

➲ Je sais parler des centres d'intérêt et des compétences de quelqu'un.

Was ist dein Traumberuf?

1 **Das wäre was für dich!**

a. Schau dir das Bild an. Wo spielt die Szene? Wie sieht das Mädchen in der Mitte aus? Warum? Welche Tipps kannst du ihr geben?

b. Hör dir den Dialog an und ergänze Mias und Barbaras Profil. Was können sie? Was gefällt ihnen am besten?

c. Welche Orientierungstipps bekommen sie? Was passt am besten zu ihnen?

➜ Cahier d'activités p. 83

Vokabeln

die Ausbildung	*la formation*
der Neigungstest	= der Kompetenztest
die Wirtschaft	*l'économie*
ratlos	*perplexe*

Sprechtraining

■ **[pf]**
➜ Cahier d'activités p. 84

2 Eine Schülerumfrage

a. Schau dir die Statistik an und kommentiere sie.

b. Lies den Artikel. Was findet der Journalist erstaunlich? Wie begründen die Jugendlichen ihre Wahl?

➔ Cahier d'activités p. 84

Top 5 bei Mädchen (1021 Befragte)			Top 5 bei Jungen (1045 Befragte)
9,4 % Kindergärtnerin	①	Kfz-Mechaniker 9,7 %
7,1 % Tierärztin	②	Kaufmann / Bankkaufmann 8,5 %
6,5 % Tierpflegerin	③	Handwerklicher Beruf 7,8 %
5,4 % Lehrerin	④	Polizist 6,6 %
5,3 % Kauffrau / Bankkauffrau	⑤	Fußballprofi 6,3 %

Welche Berufe werden heutzutage von den Jugendlichen am meisten als „Traumberuf" genannt? Im Juni 2008 hat eine Zeitschrift eine Umfrage gemacht: Journalisten haben insgesamt 2066 Mädchen und Jungen zwischen 9 und 19 Jahren interviewt.

Das Ergebnis ist erstaunlich: Berufe wie Fußballspieler oder Pilot für die Jungs, und Sängerin oder Model für die Mädchen sind jetzt out. Nur noch 1,5 % der Jungs hätten noch Lust, Feuerwehrmann zu werden, und fast jeder zehnte Junge möchte Kfz-Mechaniker werden. Was sagen die Schüler zu diesen Statistiken? „Es ist doch normal, dass Kfz-Mechaniker auf Platz 1 liegt. Mit Autos zu arbeiten macht jedem Jungen Spaß. Meine Ausbildung würde ich gern bei Mercedes-Benz machen", meint Jakob. So auch die 13-jährige Annika: „Ich würde gern mit Kindern arbeiten, vielleicht im Kindergarten. Auf keinen Fall würde ich aber in einem Büro arbeiten! Bankkauffrau? Nein, danke!"

Viele Schüler wissen noch nicht, in welcher Branche sie später gerne arbeiten würden. Die Tendenz ist aber klar: Mädchen begeistern sich für soziale oder therapeutische Berufe, Jungs würden lieber technische, handwerkliche oder sportliche Jobs ausüben.

Zwischenstation

■ Eine Top 5 der Traumberufe erstellen

Welchen Beruf würden die Mädchen und die Jungen in deiner Klasse am liebsten ausüben?

a. Mach eine Umfrage.

b. Kommentiere danach die Ergebnisse dieser Umfrage.

Ich kann's

☞ Je comprends et je sais exprimer un souhait.

☞ Je sais indiquer le métier que quelqu'un aimerait exercer.

Zugabe

Träume deine Zukunft!

1 Kindheits- und Zukunftswünsche

Conny Lebermann (15) und ihre Freunde Andi, Michi und Benni leben in der „Ameisensiedlung", einer Hochhaussiedlung an der Peripherie einer Großstadt. Dort ist das Leben extrem schwierig.

a. Lies den Text. Was wollten die Erzählerin Conny und ihre Clique früher werden? Warum?

b. Wovon träumen sie jetzt?

c. Am Ende geht es um eine gute Fee, die Wünsche erfüllen kann.
Was wünschst du dir für die Zukunft? Liste der Fee deine Wünsche auf.

„Früher wollte ich immer Lehrer werden", erzählte Benni, „ich wollte dafür sorgen, dass die Schlechtesten als Beste die Schule verlassen." [...]

„Ich wollte Politiker werden und dafür sorgen, dass die Welt ein wenig gerechter wird", sagte Michi.

„Wenn du Politiker bist, dann merkst du gar nicht mehr, dass es Ungerechtigkeiten gibt", kommentierte Benni Michis Kindheitswunsch. [...]

„Was wolltest du denn früher mal werden?", fragte Michi Andi.

„Ich... früher?", fragte Andi erstaunt.

„Ja, früher, so lange ist das ja noch nicht her!", hakte Benni nach.

„Ich wollte ein brutaler Schläger[1] werden", antwortete Andi.

„Nein, sag doch mal im Ernst!"

„Das wisst ihr doch! Ich wollte Anwalt werden."

„Und du?" Die Jungen schauten mich an.

„Ich? Ich wollte Anführer[2] werden."

„Anführer? Von wem?", fragte Andi erstaunt.

„Ich weiß nicht. Als ich so etwas das letzte Mal gefragt worden bin, da war ich fünf oder so. Und da wollte ich Anführer werden."

„Und jetzt?", fragte Benni.

„Ich weiß nicht."

„Komm, sag schon", bohrte Michi nach.

„Ich wär gern eine gute Fee, die Wünsche erfüllen kann."

„Conny ist immer noch fünf in ihrem Herzen", ärgerte mich Andi.

„Tja, was steht hier zusammen?", überlegte Benni. „Ein Lehrer, ein Politiker, ein Anwalt und eine gute Fee."

„Ich wollte auch immer zwei Kinder haben, ein süßes Mädchen und einen frechen Schlaumeier", erzählte Michi.

„Ich möchte lieber zwei Mädchen, die sind pflegeleichter", sagte Benni. [...]

„Willst du keine Kinder?", fragte Benni mich.

„Doch, Vierlinge!"

„Vier Kinder, auf einen Schlag?", fragte Michi erstaunt.

„Ja, dann hast du nur einmal Stress. Außerdem musst du dir nie Sorgen machen, mit wem sie spielen sollen." [...]

„Ich will einfach nur raus. Raus aus diesem Leben hier", jammerte Benni.

„Dann lass uns doch abhauen", schlug Michi vor.

„Ja, ich will nach Italien, schöne Mädchen am Strand anbaggern", sagte Andi.

„Ach Italien", meinte Michi, „ich will weit weg, nach Mexiko oder so." [...]

„Wieso fahren wir nicht irgendwohin, wo es Schnee gibt?" Schon als Kind hatte ich jeden Winter von einer Schlittenfahrt[3] geträumt.

„Mann, vergiss es, das können wir uns nicht leisten", sagte Benni, „es muss einfach was passieren."

„Ja, die Fee muss uns retten" , schlug Andi vor.

„Wie denn?", fragte ich.

„Du musst uns unsere Wünsche erfüllen", sagte Benni.

Mirijam Günter, *Die Ameisensiedlung*. © 2006 Deutscher Taschenbuch Verlag, Munich / Allemagne

1. der Schläger *le casseur* 2. der Anführer *le chef de bande* 3. der Schlitten *le traîneau*

2 Eine bessere Zukunft

Lies das Gedicht von Bettina Wegner.

a. Welchen Titel kannst du dem Gedicht geben?

b. Wie sieht deine Traumwelt aus? Schreib die 2. Strophe vom Gedicht.

Eine immer offene Haustür
Ein Kind ohne Schlüssel
Ein Garten ohne Zaun [...]
Eine Straße ohne Autos [...]
Ein Lehrer ohne Tadel
Eine Schule ohne Zeugnis
Ein Gefängnis[1] ohne Gitter[2] [...]

Ein Buch ohne Zensor [...]
Ein Wald ohne Schilder[3] [...]
Eine Wiese[4] nur für Kinder
Eine Klinik gegen Trauer [...]
Eine Reise um die Erde [...]
Und ich ohne Angst.

1. das Gefängnis *la prison* 2. das Gitter *les barreaux* 3. das Schild *le panneau*
4. die Wiese *la prairie*

Träume werden wahr

Video

Schau dir die Reportage an.

a. Was erfährst du über die fünf Jugendlichen (Vorname, persönliche Interessen, Praktikumsstelle)?

b. Was erhoffen sie sich von ihrem Praktikum?

c. Toni grüßt am Ende seine künftigen Kollegen. Er soll sich danach vorstellen und von seinen Erwartungen sprechen. Was erzählt er seinen Kollegen?

Sprache aktiv

➜ Cahier d'activités p. 79
➜ Mémento grammatical p. 130

Station 1

1 L'expression du futur

• Un complément de temps suffit le plus souvent à indiquer qu'une action est à venir. Dans ce cas, le verbe reste généralement au présent.
In 10 Tagen spielt die deutsche Fußballmannschaft gegen Australien.
Morgen bin ich da. (= je serai là demain)

• On peut également utiliser l'auxiliaire *werden* suivi d'un groupe verbal à l'infinitif. Cette forme s'emploie principalement pour exprimer une certitude ou une promesse.
Alexander Gerst **wird** ins Weltall **fliegen**.
Schon gut, ich **werde** Oma **anrufen**.

ich werd**e**	wir werd**en**
du **wirst**	ihr werd**et**
er / sie / es **wird**	sie / Sie werd**en**

1 Ina est allée consulter une voyante. Reconstitue ses prédictions à partir des éléments donnés en utilisant l'auxiliaire *werden*.

a. Deine Mutter – im Lotto gewinnen
b. Deine Eltern – eurem Leben eine neue Orientierung geben
c. Ihr – um die ganze Welt reisen
d. Du – deinen Traum verwirklichen
e. Du – auf einem anderen Kontinent studieren

2 Le père de Julia et Bastian leur fait des recommandations. Imagine leurs réponses.

Julia, nimm deine Brille mit! → Ja, Vati, ich werde meine Brille mitnehmen.

a. Julia, pass auf deine Tasche auf!
b. Kinder, schreibt Oma eine Karte!
c. Bastian, iss nicht zu viel Eis!
d. Kinder, ruft uns jeden Abend an!
e. Kinder, gebt nicht zu viel Geld aus!

➜ Cahier d'activités p. 82
➜ Mémento grammatical p. 133

Station 2

1 Le subjonctif II : expression du conseil

Pour donner un conseil ou formuler une recommandation, on peut utiliser le subjonctif II.
Du **solltest** zum Berufsberater gehen.
Du **könntest** auch einen Neigungstest machen.
Das **wäre** was für dich!

Pour *sein*, *haben* et les verbes de modalité, on forme le subjonctif II à partir du prétérit, en ajoutant, lorsque c'est possible, l'inflexion et un -*e*, puis les terminaisons de personnes.
sein → ich war → ich **wäre**

ich **wäre**Ø	wir **wären**
du **wärest**	ihr **wäret**
er / sie / es **wäre**Ø	sie / Sie **wären**

De même :
haben → ich hatte → ich **hätte**
können → ich konnte → ich **könnte**
sollen → ich sollte → ich **sollte***
sollen et *wollen* ne prennent pas l'inflexion.

3 Conjugue le verbe au subjonctif II.

a. Wenn du Fragen hast, (sollen) du auf die Bildungsmesse gehen.
b. Es (sein) sicher interessant für dich.
c. Dort (können) du Informationen sammeln und einen Berufsberater treffen, der deine Fragen beantworten (können).

4 Hannes a quelques problèmes. Donne-lui des conseils en formulant des phrases avec les verbes *sollen*, *können* ou *sein* au subjonctif II.

a. „Ich habe keine guten Noten in Physik!"
b. „Ich fühle mich nicht in Form!"
c. „Ich habe kein Taschengeld mehr!"
d. „Ich möchte mich gern in der Schule engagieren, aber ich weiß nicht wie."
e. „Ich habe einen russischen Freund, aber ich spreche nicht sehr gut Russisch!"

→ Cahier d'activités p. 85
→ Mémento grammatical p. 133

Station 3

1 Le superlatif de l'adverbe

Comme l'adjectif épithète, l'adjectif attribut et l'adverbe peuvent se mettre au superlatif (voir p. 100). Dans ce cas, le superlatif est introduit par *am* et prend toujours la terminaison *-en*.

In diesem Geschäft sind die CDs **am billigsten**.
Wie kann ich **am schnellsten** einen guten Job bekommen?

⚠ Formes irrégulières :

gut   → **am besten**
gern → **am liebsten**
viel → **am meisten**

Dein Kompetenztest zeigt, was **am besten** zu dir passt.

2 Le subjonctif II : expression du souhait ou de l'hypothèse

Les formes du subjonctif II s'emploient essentiellement pour *sein*, *haben* et les verbes de modalité. Pour la plupart des autres verbes, on emploie la forme *würde* + groupe verbal à l'infinitif.

Ich **möchte** gern im Ausland **arbeiten**.
Hättest du Lust, mich auf die Bildungsmesse zu **begleiten**?
Ich **würde** gern ein Praktikum bei BMW **machen**.
Es **wäre** schön, wenn ich diesen Job **bekommen würde**.

5 Complète le dialogue après avoir formé le superlatif des adverbes entre parenthèses.

– Ich möchte gern einen kreativen Beruf ausüben, ... beim Film. (gern)
– Du musst dich aber ... informieren. (schnell)
– Ja, du hast recht, ... gleich heute! Ich rufe den Berater sofort an! (gut)
– Was interessiert dich ... in der Schule? (viel)
– Sport! ... spiele ich Basketball. (gern) Aber Physik gefällt mir ... . (wenig)

6 Le conseiller d'orientation établit ton profil. Réponds à ses questions en utilisant le subjonctif II.

An der frischen Luft arbeiten? (nein, keine Lust haben) → *Ich hätte keine Lust, an der frischen Luft zu arbeiten.*

a. mit Kindern arbeiten? (Ja, gern)
b. ins Ausland fahren? (nein, nicht können)
c. sich um Tiere kümmern? (nein, keine Lust haben)
d. einen therapeutischen Beruf ausüben? (ja, interessant sein)
e. lieber alleine oder im Team arbeiten? (lieber im Team)
f. gerne Protokolle schreiben? (nein)

Vokabeln Kurz und gut

1 die Orientierung

die Ausbildung (-en)
der Beruf (-e)
die Kompetenz (-en)
die Voraussetzung (-en)
sich für etwas interessieren
sich für etwas begeistern
einen Beruf wählen
einen Beruf *aus*üben
einen Traum verwirklichen
einen Wunsch erfüllen

2 Berufe

der Arzt (¨e) / die Ärztin (-nen)
der Friseur (-e) / die Friseurin (-nen)
der Kfz-Mechaniker (-) /
die Kfz-Mechanikerin (-nen)
der Rechtsanwalt (¨e) /
die Rechtsanwältin (-nen)
der Tierarzt (¨e) / die Tierärztin (-nen)
der Tierpfleger (-) /
die Tierpflegerin (-nen)

3 die Zukunft

morgen
übermorgen
in 2, 3 ... Tagen / Jahren
nächste Woche
nächsten Monat
nächstes Jahr
2 Jahre später
nach 2 Jahren

Endstation

Schülerjobs

Mit 13 darf ein Schüler in Deutschland arbeiten und sein eigenes Geld verdienen. Seine Eltern müssen aber damit einverstanden sein. 13-Jährige dürfen nur zwei Stunden pro Tag arbeiten, niemals nach 18 Uhr und natürlich nicht während der Schulzeit. Ab 15 darf ein Schüler in den Schulferien bis zu acht Stunden pro Tag arbeiten.

Zeitschriftenzusteller gesucht

Suche Zusteller/innen, die mittwochs und freitags abonnierte Zeitschriften austeilen (Bravo, TV Movie, Stern ...).
Arbeitszeit ca. 2 Stunden pro Tag.
Mindestalter: 13 Jahre
Bezahlung: ungefähr 400 € im Monat
Bewerbung mit Telefonnummer an:
Medienprofi – Elbestraße 20 – 64625 Bensheim

Schüler/in für Tierbetreuung gesucht

Suche Schüler/in, der/die von Montag bis Freitag eine Stunde lang drei Hunde ausführen kann.
Anforderungen: mindestens 14 Jahre alt sein, Hunde lieben, auch bei Regen gerne an der frischen Luft sein.
Vergütung: 7 € die Stunde
Bewerbung mit Telefonnummer bitte an Familie Kurz – Saarstraße 14 – 64625 Bensheim-Auerbach

Bote/Botin für Apotheke gesucht

Wir suchen Jugendliche, die Medikamente an Kunden oder Ärzte liefern.
Voraussetzungen: gute Ortskenntnis, eigenes Fahrrad
Mindestalter: 15 Jahre
Arbeitszeit: 3-mal die Woche, nachmittags 2 Stunden
Gehalt: 8 € pro Stunde (Trinkgeld darf angenommen werden)
Bewerbungen schriftlich an:
Engel Apotheke – Nibelungenstraße 7 – 64646 Heppenheim

Flora Bayer
Bachweg 3
64646 Heppenheim

Sehr geehrte Damen und Herren,

mit großem Interesse habe ich Ihre Annonce im Bergsträßer Anzeiger gelesen und bewerbe mich hiermit für die Stelle als Botin.
Ich bin 15 Jahre alt und gehe auf das Starkenburg-Gymnasium. Ich wohne seit zehn Jahren in Heppenheim und kenne die Stadt sehr gut.
Ich bin sportlich und zuverlässig, besitze ein eigenes Fahrrad und habe letztes Jahr als Zeitschriftenzustellerin gearbeitet. Meine Freunde sagen von mir, dass ich gut zuhören kann und den Anderen gern helfe.

Ich bin jederzeit bereit, mich persönlich bei Ihnen vorzustellen.
Sie können mich entweder per Internet unter flora.bayer@web.de oder telefonisch unter 172 23 34 56 erreichen.

In der Hoffnung, dass meine Bewerbung Sie interessieren wird, verbleibe ich

mit freundlichen Grüßen

Flora Bayer

Lebenslauf

Persönliche Daten
Flora Bayer
flora.bayer@web.de
0172-233456

geboren am 15. September 1995 in Köln

Schulbildung
Starkenburg-Gymnasium Heppenheim
(zZt. 10. Klasse)

Berufserfahrung
Sept. 2009 – Juli 2010   Zeitschriftenzustellerin
für „Abowelt"

Auslandsaufenthalte
• August 2008   Intensivkurs in Englisch
in Birmingham
• April - Juni 2009   Brigitte Sauzay Programm –
Frankreichaufenthalt in Lyon

Sprachen
Englisch und Französisch

Hobbys
Judo, Fahrrad fahren, Jazzmusik (Saxophon)

Alles klar?

1. Wie alt muss man mindestens sein, um in Deutschland einen Schülerjob annehmen zu dürfen?
2. Welche Jobangebote darf man während des Schuljahres annehmen?
3. Warum denkt Flora, dass sie für den Job als Botin geeignet ist?
4. Welcher Job passt am besten zu dir? Rechtfertige deine Antwort.

Unser Projekt

Sich um ein Praktikum in Deutschland bewerben

Du möchtest ein Praktikum in Deutschland machen.

1. In welcher Branche möchtest du gerne ein Praktikum machen?

2. Liste alle wichtigen Informationen über dich auf. Denke an deine Stärken, deine Interessen, deine verschiedenen Erfahrungen, deine Hobbies.

3. Verfasse ein Bewerbungsschreiben und einen Lebenslauf.

WEBSITES FÜR INFOS
http://www.ulmato.de/
http://www.planet-beruf.de/

1 Nach der Bildungsmesse

Classe

→ Cahier d'activités p. 87

OBJECTIF : Comprendre un bilan à la suite d'un salon de l'orientation.
OUTILS : Le parfait, le futur, le superlatif de l'adverbe.

Matthias interviewe Monsieur Thies, le directeur de la *Bildungsmesse*. Écoute l'interview.

Es-tu capable :

A2
1. de donner des informations générales sur le salon (dates, nombre de visiteurs) ?
2. de résumer la tendance générale pour les filles ?
3. de résumer la tendance générale pour les garçons ?

A2+
4. d'indiquer quelle amélioration sera apportée l'année prochaine ?
5. d'indiquer la demande de changement formulée par Matthias ?

→ Cahier d'activités p. 87

2 Deutsch lernen und Taschengeld verdienen

OBJECTIFS : Exposer son projet et ses motivations, conseiller quelqu'un.
OUTILS : Le lexique des métiers et des compétences, le futur, le subjonctif II et le superlatif.

Élise Leblanc
- 19 Jahre alt
- studiert Politikwissenschaft in Nancy
- Fremdspr.: Englisch (C1), Deutsch (B2), Russisch (A2)
- Sport u. Hobbys: Wassersport, Volleyball, Gitarre

■ **Au-Pair-Mädchen** / Familie mit 4 Kindern (5-7-11) / Sulz a. Neckar (Schwarzwald)

■ **Hotel-Rezeption** Zum Löwen (9-15 Uhr, mittw. frei) / Lindau a. Bodensee

■ **Kellnerin** / Café am Strand (Do – Mo 14-19 Uhr) / Ostseebad Travemünde

Élise souhaite aller en Allemagne l'été prochain pour améliorer son allemand tout en gagnant un peu d'argent. Elle téléphone à un conseiller de la *Zentralstelle für Arbeitsvermittlung*.

Tu joues le rôle d'Élise. Es-tu capable :

A2
1. de présenter ton projet ?
2. de décrire ton profil ?

A2+
3. d'exprimer ton choix ?

Tu joues le rôle du conseiller. Es-tu capable :

A2
1. de décrire les emplois possibles ?

A2+
2. de conseiller Élise dans le choix d'un travail ?

3 Kummerkasten

OBJECTIFS : Comprendre une suggestion, un conseil.
OUTILS : Le subjonctif II.

➡ Cahier d'activités p. 88

Simon	Ich hatte gestern großen Streit mit meiner Freundin. Ich bin sehr traurig und weiß nicht, was ich machen soll. Ich habe Angst, dass sie mich verlässt. Wer kann mir helfen?
babu08	Ich würde ihr schöne Blumen schenken (am besten Rosen) und sie zu einem romantischen Essen einladen. Du könntest sie auch auf ein Eis einladen, sie wird dich dann bestimmt nicht verlassen. Bei mir hat das so ganz gut funktioniert.
planfo74	Warum rufst du sie nicht an? Entschuldige dich und sag einfach: „Es tut mir leid, was ich gesagt habe." Sag ihr auch, dass du sie wirklich lieb hast und dass du sie nicht verlieren möchtest.
littledave	Warum solltest du dich entschuldigen? Sie könnte glauben, dass sie recht hat. Niemals solltest du ihr sagen, dass du sie nicht verlieren willst. Das wäre das Ende … für dich!!! Kopf hoch, Simon! Such dir eine andere Freundin!

Lis les contributions sur le forum.

Es-tu capable :

A2
1. d'identifier le problème de Simon ?
2. de dire ce que Simon doit absolument faire ?

A2+
3. de relever les suggestions qui lui sont faites ?

4 Was soll ich jetzt tun?

➡ Cahier d'activités p. 88

OBJECTIFS : Donner un avis, conseiller quelqu'un.
OUTILS : Le lexique des métiers, des compétences et des centres d'intérêt, le futur, le subjonctif II, le superlatif.

Von: imke07@web.de
Betreff: Deine Meinung bitte!

Hallo Leonie,

letzte Woche habe ich einen Kompetenztest gemacht. Das Ergebnis dabei war, dass ich mich am besten um Kinder kümmern sollte. Kindergärtnerin oder Grundschullehrerin wären die richtigen Berufe. Du weißt aber auch, dass ich gerne reise und immer neue Fremdsprachen lernen möchte. Ich würde also lieber einen Beruf ausüben, wo diese Interessen genutzt werden. Was soll ich deiner Meinung nach tun?

Imke

Lis le mail que Imke envoie à son amie Leonie et rédige la réponse de Leonie.

Es-tu capable :

A2
1. de rappeler les aptitudes et les goûts de Imke ?

A2+
2. de donner ton avis sur le résultat du test et sur les métiers proposés ?
3. de conseiller Imke ?

Station 1

Élève
Piste 40

Jetzt heißt es umplanen!

Kurznachricht 1

Heute gehst du noch in die Schule. Und morgen? Wie geht es in ein paar Monaten, in ein, zwei Jahren für dich weiter? Du wirst dich für einen Beruf entscheiden, einen Ausbildungsplatz suchen, deinem Leben eine neue Orientierung geben. Wir können dir dabei helfen. Wir haben jede Menge Informationen für dich. Heute beginnt die Bildungsmesse!
Klemens: Ja, ja, ich weiß.

Kurznachricht 2

Nun wissen wir also, auf wen unsere Fußballnationalmannschaft in der Gruppe D trifft: Australien, Serbien und Ghana. Das ist zum Glück keine „Todesgruppe", selbst wenn die Serben gefährlich werden können.
Konkret geht es für die Deutschen am 13. Juni um 20:30 Uhr los. Da werden unsere Kicker gegen Australien spielen. Aber in welcher Stadt? Wenn ihr es wisst, schickt uns eine E-Mail an rundfunk@web.de. Die ersten Zehn, die richtig antworten, gewinnen ein WM-Maskottchen.

Kurznachricht 3

Und nun zum Wetter.
Leider ist Schluss mit dem Sonnenschein. Ein starker Südostwind bringt Regenwolken. Ab Mittag regnet es sehr heftig, in manchen Teilen Bayerns kann es sogar schneien. Die Temperaturen sinken auf zwei Grad, im Alpenvorland auf null Grad.
Klemens: Oh Mist!

Kurznachricht 4

Journalistin: [...] konnte man sich auf der ESA-Website als Astronaut bewerben. Wie viele Kandidaten haben sich beworben?
Experte: Über 10 000! 8 413 Kandidaten kamen dann in die zweite Runde.
Journalistin: Bestimmt war Alexander Gerst erleichtert, als er ausgewählt wurde.
Experte: Herr Gerst war in der Tat sehr glücklich. Er konzentrierte sich aber sofort auf seine Ausbildung.
Journalistin: Und die dauert ja bekanntlich lange. Wann wird denn Herr Gerst ins Weltall fliegen können?
Experte: Na, das wird noch ein bisschen dauern. 2020 plant die ESA aber eine Mondmission. Da wird Herr Gerst wahrscheinlich mit dabei sein.

Station 3

Élève
Piste 44

Das wäre was für dich!

Herr Goller: Na, wie war euer Workshop?
Barbara: Anstrengend, aber genial!
Herr Goller: Und wisst ihr jetzt, was ihr studieren wollt?
Mia: So einfach ist das auch wieder nicht. Aber wir haben einen Neigungstest gemacht.
Herr Goller: Was ist das denn?
Mia: Das ist ein Fragebogen mit 36 Fragen. Du bekommst dann eine Liste von Berufen, die aber nur eine Orientierungshilfe ist. Was an erster Stelle steht, muss nicht unbedingt am besten zu dir passen.
Herr Goller: Was steht denn bei dir an erster Stelle?
Mia: Design. Ich bin kreativ, aber ich zeichne leider nicht so toll. Ich glaube also nicht, dass das ein Studium für mich wäre.
Barbara: Aber dann kommen gleich Wirtschaft und mehrsprachige Kommunikation. Das passt doch zu dir. Du sprichst zwei Fremdsprachen und bist sehr kommunikativ. Außerdem schreibst du immer tolle Artikel für die Schülerzeitung.
Herr Goller: Die dein Vater auch gerne liest ... Und bei dir Barbara?
Barbara: Bei mir kam Tierpflege, Obst- und Gemüsebau und Fruchtsafttechnik raus.
Herr Goller: Dann wirst du Pfirsichbäume pflanzen und Apfelsaft pressen? Wie kommen die denn darauf?
Barbara: Na ja, ich habe angegeben, dass ich manuell geschickt bin, dass ich gerne an der frischen Luft bin, die Natur faszinierend finde, dass ich gerne Maschinen bediene und mich gerne um Tiere kümmere.
Herr Goller: Hm, und wie geht es jetzt weiter?
Barbara: Ich weiß nicht. Ich habe keine rechte Lust auf Landwirtschaft, Traktor, Pflug und so. Da schon lieber Tierpflegerin.
Mia: Finde ich gut! Du liebst doch Pferde.
Barbara: Ich bin überhaupt tierlieb. Ich glaube, am meisten würde mich die Arbeit in einem Zoo interessieren.
Herr Goller: Na dann, Kopf hoch und auf zum Stand für die Ausbildung zur Tierpflegerin.

Mémento grammatical

1 — La structure de base de l'allemand

La structure de base de l'allemand fonctionne à l'inverse du français : l'élément le plus important se trouve en dernière position et l'élément qui le détermine vient se placer à sa gauche.

→ *nach Berlin* **fahren**

aller à Berlin

Cette structure, fondamentale en allemand, se retrouve dans le groupe infinitif, la proposition subordonnée, les noms composés, les nombres et l'expression de l'heure.

1 Le groupe infinitif

Le verbe à l'infinitif (le noyau du groupe) porte l'information principale et se trouve donc en dernière position. Les éléments qui apportent des précisions supplémentaires se placent à gauche de l'infinitif.

→ *mit dem Auto nach Berlin* **fahren**
   aller en voiture à Berlin

→ *der Freundin ein Geschenk mitbringen* **wollen**
   vouloir apporter un cadeau à son amie

2 La proposition subordonnée

Dans la proposition subordonnée, le verbe conserve la dernière place, comme dans le groupe infinitif. Mais il est conjugué et s'accorde avec le sujet.

Groupe infinitif :

→ *Hilfe* **brauchen**

Proposition subordonnée :

→ *Sophie ruft die Mutter, weil sie Hilfe* **braucht**.

3 Les noms composés

• Dans les noms composés, le nom portant l'information la plus importante est en dernière place. Il est précédé par le ou les éléments qui le déterminent. Il donne son genre au nom composé, mais c'est le premier élément qui porte l'accent de mot.

→ *der Sportlehrer / die Sportlehrerin*

• On accentue *Sport*, car c'est l'élément qui précise de quel professeur il s'agit (*der Sportlehrer* et non pas *der Deutschlehrer*).

⚠ La traduction de ces mots en français n'est pas toujours automatique.

→ *der Klassenlehrer* (le professeur principal)

⚠ À noter dans certains noms composés la présence d'un « s » de jonction.

→ *das Freundschaftsbuch*
→ *die Geburtstagsparty*

4 Les nombres

De 13 à 99, la dizaine constitue l'élément de base. L'unité vient s'ajouter à gauche de la dizaine.

→ *fünfundzwanzig* (5 + 20)

vingt-cinq (20 + 5)

5 L'heure

L'heure pleine constitue l'élément de base.

→ *Es ist* **zwei** *(Uhr)*.

→ *Es ist fünf nach* **zwei** */ Viertel vor* **zwei** */ halb* **zwei**.

2   L'organisation de la phrase simple

1 La place du verbe conjugué dans les différents types de phrases

• Dans la phrase simple, le **verbe** n'est plus en dernière position, comme dans le groupe infinitif ou dans la subordonnée. Il occupe la **première** ou la **deuxième place**, selon le type d'énoncé.

	Verbe en première place
L'interrogative globale	→ **Treffen** wir uns um sechs Uhr bei mir?
La phrase à l'impératif	→ **Nimm** doch das T-Shirt für deinen Bruder!

	Verbe en deuxième place
L'interrogative partielle	→ Was **machst** du morgen?
La phrase déclarative	→ Der Junge **kauft** ein T-Shirt vom FC Bayern.

⚠️Par rapport au groupe infinitif ou à la subordonnée, seul le verbe conjugué se déplace en 1re ou 2e position. Les autres éléments, y compris les préverbes séparables, ne changent pas de place.

Groupe infinitif	der Freundin ein Geschenk **mitbringen**
Interrogative globale	**Bringst** du der Freundin ein Geschenk **mit**?
Déclarative	Sophie **bringt** der Freundin ein Geschenk **mit**.

• Dans la **proposition déclarative**, le verbe conjugué occupe la **2e place**, c'est-à-dire qu'il est le deuxième groupe à avoir une fonction dans la phrase. La 1re place est occupée par le sujet ou par d'autres compléments.

1er élément de la phrase	Verbe conjugué en 2e position	Exemple
Meine Klasse (sujet)	**macht**	einen Ausflug nach Saarbrücken.
Morgen (complément de temps)	**schreibt**	ihr eine Klassenarbeit.
In der Jugendherberge (complément de lieu)	**ist**	kein Platz frei.
Den Fotoapparat (complément d'objet)	**nehme**	ich auch mit.
Mit dem Fahrrad (complément de moyen)	**bist**	du in einer Viertelstunde in der Schule.

⚠️ Certains éléments ne comptent pas comme premier élément. Ce sont par exemple les conjonctions de coordination *und*, *aber*, *oder*, ainsi que *ja* et *nein*.

→ Nein, ich ⎡habe⎤ keinen Hunger, aber ich ⎡habe⎤ Durst.
   0   1   2   0   1   2

2 L'interrogative partielle

L'interrogative partielle, comme son nom l'indique, porte sur une partie de la phrase. Elle est introduite par un mot interrogatif en *w-*.

Les principaux mots interrogatifs

Exemple	La question porte sur	Traduction
Wer ruft an?	la personne sujet	*Qui appelle ?*
Wen rufst du an?	la personne complément à l'accusatif	*Qui appelles-tu ?*
Wem schreibst du?	le « bénéficiaire » (datif)	*À qui écris-tu ?*
Wo wohnst du?	le lieu où l'on est	*Où habites-tu ?*
Wohin fährt er?	le lieu où l'on va	*Où va-t-il ?*
Woher kommen Sie?	le lieu d'où l'on vient	*D'où venez-vous ?*
Was machst du heute Nachmittag?	le sujet ou complément d'objet (chose ou événement)	*Que fais-tu / Qu'est-ce que tu fais cet après-midi ?*
Wann hast du morgen Schule?	le temps	*Quand as-tu école demain ?*
Wie machst du das?	le moyen, la manière	*Comment fais-tu ?*
Warum machst du bei diesem Programm mit?	la cause	*Pourquoi participes-tu à ce programme ?*

On trouve aussi des composés avec *wie*.

→ **Wie alt** bist du? Quel âge as-tu ? (*how old?* en anglais)
→ **Wie oft** hast du Fußball pro Woche? Combien de fois as-tu foot par semaine ? (*how often?*)

3 La négation avec *nicht*

Nicht se place devant les éléments que l'on veut nier. Quel que soit le type de phrase, il conserve la place qu'il a dans le groupe infinitif.

Groupe infinitif → **nicht** mit dem Auto nach Berlin fahren **wollen**

Subordonnée → Martin sagt, dass er **nicht** mit dem Auto nach Berlin fahren **will**.

Déclarative → Martin **will nicht** mit dem Auto nach Berlin fahren.

⚠️Pour nier un groupe indéfini, on utilise *kein*. (Voir p. 126)

⚠️ La négation partielle ne porte que sur un élément de la phrase. Cet élément porte un accent d'insistance et *nicht* se place directement devant cet élément.

→ Ich komme **nicht am Mittwoch** zu dir, sondern erst am Donnerstag.

3 La subordonnée

Une proposition subordonnée ne peut pas fonctionner seule. Elle dépend d'un autre groupe, le plus souvent une proposition principale. Les deux propositions (principale et subordonnée) forment alors une phrase complexe et sont séparées par une virgule.

1 La proposition subordonnée conjonctive

Elle est introduite par une conjonction de subordination et le verbe conjugué reste en dernière place, c'est-à-dire à la place qu'occupe le verbe dans le groupe infinitif.

a. Les subordonnées complétives (en fonction complément d'objet)

	Phrase simple	Subordonnée
Déclarative	Till **interessiert** sich für Frankreich.	Jan sagt dem Mädchen, **dass** Till sich für Frankreich **interessiert**.
Interrogative globale	**Mag** Coraline Tiere**?**	Till möchte wissen, **ob** Coraline Tiere **mag**.
Interrogative partielle	**Woher kommt** Coraline?	Till fragt Meike, **woher** Coraline **kommt**.

b. Les subordonnées circonstancielles

Weil exprime une cause.

→ *Sophie will nach Frankreich, **weil** sie sich für andere Kulturen interessiert.*

Wenn exprime une condition.

→ *Wir können ins Kino gehen, **wenn** das Wetter schlecht ist.*

Als exprime un moment du passé.

→ *Ich war zehn Jahre alt, **als** ich zum ersten Mal nach Berlin fuhr.*

Dans une phrase complexe qui commence par une subordonnée, la subordonnée est le 1er élément de la phrase. Elle est immédiatement suivie du verbe de la principale qui occupe ainsi la 2e place dans la phrase.

→ *Wenn es richtig kalt ist,* ⟨ **können** ⟩ *wir auf dem See*
                         1   2
    Schlittschuh laufen.

2 La subordonnée infinitive

Dans la subordonnée infinitive, le verbe est à l'infinitif et donc en dernière position. Il est précédé de *zu*.

→ *Ich habe keine Lust, den ganzen Tag hier **zu bleiben**.*

Dans le cas d'un verbe à préverbe séparable, *zu* se place toujours devant le radical du verbe.

→ *Ich finde es toll, in der Innenstadt ein**zu**kaufen.*

Pour exprimer le but, on peut utiliser une subordonnée infinitive introduite par *um*.

→ *Sophie macht beim Sauzay-Programm mit, **um** ihr Deutsch **zu verbessern**.*

⚠ Une subordonnée relative ne dépend pas d'une proposition principale. Elle complète un nom et s'intègre à un groupe nominal. (Voir p. 129)

4 Le groupe nominal

L'élément essentiel d'un groupe nominal est le nom. Un groupe nominal peut n'être constitué que d'un nom seul.

→ *Musik* dans *Ich mag Musik.*

Mais le plus souvent, il comporte plusieurs éléments, en particulier un déterminant.

→ *der Direktor, mein Lieblingssport*

Le nom peut aussi être déterminé par un adjectif, un nom au génitif saxon ou un complément.

→ *die **neue** Schülerin*   → ***Vanessas** Bruder*
→ *das Mädchen aus Berlin*   → *der Vater meines Freundes*

Il peut également être suivi d'une subordonnée relative.

→ *Die Leute, die in diesem Haus wohnen, …*

Le groupe ainsi formé peut être remplacé par un pronom.

→ *Vanessas Bruder* ⎫
→ *Der Bruder meiner Freundin* ⎬ *heißt Leo.*
     Er

1 Les trois genres

L'allemand possède trois genres : le masculin (*der*), le féminin (*die*) et le neutre (*das*).

⚠ Les genres des noms allemands ne correspondent pas toujours à ceux des noms français.

→ ***der** Tisch* (la table) ; ***die** Sonne* (le soleil)

Le neutre pourra aussi bien correspondre à un féminin qu'à un masculin français.

→ ***das** Mädchen* (la jeune fille) ; ***das** Wetter* (le temps)

2 Le pluriel

Au pluriel, on ne fait plus la distinction entre les genres et il n'y a qu'une seule forme pour les trois genres.

→ *Die Männer* ⎫
→ *Die Kinder* ⎬ *spielen Tennis.*
→ *Die Freundinnen* ⎭
　　　sie

En français, on utilise essentiellement un « s » pour marquer le pluriel d'un nom, mais l'allemand possède de nombreuses marques de pluriel. Quand on apprend un nom, il faut donc l'apprendre avec son genre et son pluriel.

On présente toujours un nom sous la forme d'un groupe nominal au singulier avec :
– un article défini au nominatif qui nous indique le genre de ce nom,
– la marque du pluriel.

→ *der Mann (¨er)* nous indique que *Mann* est masculin et que son pluriel est *die Männer*.
→ *der Bruder (¨)* → masculin, pluriel *die Brüder*
→ *das Mädchen (-)* → neutre, pluriel *die Mädchen* (inchangé)
→ *das Kind (er)* → neutre, pluriel *die Kinder*
→ *die Gitarre (n)* → féminin, pluriel *die Gitarren*

3 Les déterminants

a. L'article défini (*der, die, das*)

L'article défini s'emploie quand l'élément dont on parle est déjà connu ou identifié.

→ *die Stadt* (la ville dont je parle et non pas une ville parmi d'autres)

b. L'article indéfini (*ein*)

On emploie l'article indéfini pour désigner des éléments indéterminés, que l'on ne connaît pas ou que l'on n'identifie pas avec précision.

→ *Ich suche einen Austauschpartner in Frankreich.*
(Il s'agit d'un individu parmi d'autres, puisqu'il n'est pas encore identifié).

⚠ Au pluriel, un groupe indéfini s'emploie sans article, là où le français utilise l'article « des ».
→ *Ich brauche **eine Briefmarke**.* (un timbre)
→ *Ich brauche **Briefmarken**.* (des timbres)

c. La forme négative (*kein*)

• Pour nier un groupe indéfini (*eine Briefmarke, Ø Briefmarken*), on emploie la forme négative *kein*. *Kein* prend les mêmes terminaisons que *ein / eine*.
→ *Ich habe **keine Briefmarke**.* (singulier)
→ *Ich habe **keine Briefmarken**.* (pluriel)

• *Kein* sert également à nier les éléments que l'on ne peut pas dénombrer : le groupe partitif (*du café, de l'eau minérale…*) et les expressions sans déterminant telles que *Geld, Zeit, Lust haben*.
→ *Ich trinke **keinen** Kaffee.*
→ *Ich habe **kein** Geld /**keine** Zeit /**keine** Lust.*

	Forme affirmative	Forme négative
Groupes indéfinis singulier (masc., n., fém.)	einen Freund / ein Auto / eine Briefmarke ⎬ haben	keinen Freund / kein Auto / keine Briefmarke ⎬ haben
Groupes indéfinis pluriel (sans distinction de genre)	Ø Briefmarken haben	keine Briefmarken haben
Groupes partitifs (masc., n., fém.)	Ø Kaffee / Ø Fleisch / Ø Milch ⎬ mögen	keinen Kaffee / kein Fleisch / keine Milch ⎬ mögen

d. Le déterminant possessif (*mein*)

Le déterminant possessif prend la même terminaison (marque de genre, de nombre et de cas) que l'article indéfini.
→ ***ein** Freund* → ***mein** Freund*
→ ***eine** Gitarre* → ***meine** Gitarre*

Le choix du déterminant dépend du possesseur.

Possesseur	Pronom personnel	Déterminant possessif
1re pers. du singulier	ich	**mein** Bruder
2e pers. du singulier	du	**dein** Bruder
3e pers. du singulier	er / es (masculin/neutre)	**sein** Bruder
	sie (féminin)	**ihr** Bruder
1re pers. du pluriel	wir	**unser** Bruder
2e pers. du pluriel	ihr	**euer** Bruder / **eure** Schwester
3e pers. du pluriel	sie	**ihr** Bruder
forme de politesse	**S**ie	**Ihr** Bruder

Comme en anglais, à la 3e personne du singulier, le possessif varie selon le genre du possesseur.

• Possesseur masculin ou neutre :
→ *Das ist **Lukas**. **Sein** Bruder heißt Fred.* (**his** brother)

• Possesseur féminin :
→ *Das ist **Vanessa**. **Ihr** Bruder heißt Leo.* (**her** brother)

Pour choisir le déterminant possessif qui convient :
• on doit d'abord se demander qui est le possesseur.
→ *Lukas* → ***sein*** 　　→ *Vanessa* → ***ihr***
→ *du* → ***dein*** 　　→ *wir* → ***unser***

• on ajoute ensuite la terminaison en fonction du genre, du nombre et du cas du nom qui suit.

→ *Lukas ruft seine Mutter an.*
→ *Findest du deinØ Handy?*
→ *Vanessa ruft ihren Bruder an.*
→ *Wir müssen auf unsere Eltern warten.*

e. Le génitif saxon

Pour exprimer l'appartenance, l'allemand utilise aussi le génitif saxon. Il s'emploie avec un nom propre. Le nom propre prend un « s » à la fin et il joue le rôle du déterminant.

→ *Vanessas Bruder heißt Leo.*

Lorsque le nom propre se termine déjà par « s », « ß » ou « x », on utilise uniquement l'apostrophe.
→ *Lukas' Schwester heißt Anke.*

La construction est identique en anglais, mais la marque de l'appartenance est légèrement différente.
→ *Jake's sister*

On peut aussi exprimer l'appartenance avec la préposition *von*.
→ *Der Bruder von Vanessa heißt Leo.*

f. Autres déterminants

• Le démonstratif *dieser, dieses, diese* (ce, cette) se décline comme *der, die, das*.
→ **Dieses** *Mädchen heißt Vanessa.*
   (Cette fille s'appelle Vanessa.)

• Les quantificateurs *jeder* (chaque) et *alle* (tous) se déclinent comme *der, die, das*.
→ **Jeden** *Sonntag* (chaque dimanche, tous les dimanches)
→ *An* **alle** *Schüler aus der 8a.* (À tous les élèves de 8ᵉa.)

• *Viele* (beaucoup de), *einige* (quelques), *wenige* (peu de) s'emploient principalement au pluriel. Ils se déclinent comme l'adjectif épithète.
→ *viele* **große** *Städte*
→ *nur* **wenige** *Schüler*

4 Les cas

L'allemand possède quatre cas : le nominatif, l'accusatif, le datif et le génitif.

Chaque cas correspond à une fonction du groupe nominal. La terminaison portée le plus souvent par le déterminant est la marque du genre, du nombre et du cas du groupe nominal. Elle est en quelque sorte une étiquette qui fournit des informations sur le groupe nominal.

a. Le nominatif

Le nominatif correspond à la fonction **sujet** ou **attribut du sujet**.

→ *Dieser Vorschlag ist sehr interessant.*
   sujet

→ *Frau Liebermann ist unsere Klassenlehrerin.*
   attribut du sujet

b. L'accusatif

L'accusatif est essentiellement le cas du complément d'objet du verbe (qui répond à la question *was?* ou *wen?*). Seul le masculin a une forme différente au nominatif et à l'accusatif : il prend la marque **-n** à l'accusatif, (voir **6** p. 128).

→ *Ich rufe meine Freundin an.*
→ *Ich kaufe einen Hamburger.*

c. Le datif

Le datif correspond à deux types de complément.

• Certains verbes sont suivis d'un complément d'objet au datif : *helfen, danken, gratulieren…* Ce complément désigne généralement le « bénéficiaire » d'une action.

→ *Benjamin hilft seiner Freundin.*
→ *Das Mädchen dankt dem Freund.*

• Par ailleurs, de nombreux verbes peuvent être suivis d'un complément à l'accusatif qui désigne l'objet transmis et d'un complément au datif qui désigne le bénéficiaire ou le destinataire. (On l'appelle aussi « complément d'objet second ».)

→ *Sophie bringt ihrer Freundin ein Puzzle mit.*
   Cᵗ datif   Cᵗ accusatif

• Les marques du datif sont **-m** au masculin et au neutre, **-r** au féminin. Au pluriel, la marque est double : le déterminant prend la terminaison **-n** et on ajoute également **-n** au nom.

Masculin / Neutre	Der Junge gratuliert de**m** Großvater zum Geburtstag.
Féminin	Jens dankt seine**r** Freundin.
Pluriel	Der Junge dankt seine**n** Freunde**n**.

d. Le génitif

Le génitif correspond à la fonction complément du nom.

→ *Der Vater* **meines Freundes** *arbeitet bei BMW.*
   groupe nominal sujet

⚠ Le complément de nom au génitif n'a pas une fonction propre au niveau de la phrase. Dans l'exemple ci-dessus, *meines Freundes* complète *der Vater* et forme avec lui le groupe sujet de la phrase.

Les marques du génitif sont :

– **-r** au féminin et au pluriel.
→ *der Erfolg der Familie*
→ *der Kauf der Spieldosen*

– au masculin et au neutre la marque est double, **-s** sur le déterminant et **-s** sur le nom.
→ *der Tod* **des** *Vaters*
→ *die Eröffnung* **des** *Geschäfts in Herrenberg*

5 Les pronoms personnels

- Les pronoms personnels de la **3ᵉ personne** servent à remplacer des groupes nominaux. Ils se déclinent comme le groupe nominal et portent la marque de genre, de nombre et de cas.
  - → *Ich will meine Freundin anrufen. Ich will **sie** anrufen.*
  - → *Der Direktor gratuliert de**n** Kinder**n**. Der Direktor gratuliert **ihnen**.*

Voir **6** tableau récapitulatif.

- À la **1ʳᵉ et à la 2ᵉ personne**, les pronoms personnels désignent la ou les personnes qui parlent ou auxquelles on s'adresse.

⚠ À la forme de politesse, on utilise les pronoms de la 3ᵉ personne du pluriel avec une majuscule.

⚠ Le pronom réfléchi renvoie à la même personne que le sujet. À la 1ʳᵉ et à la 2ᵉ personne, il est identique au pronom personnel, mais a une forme particulière à la 3ᵉ personne.

- → *Ich interessiere **mich** für Sport.* → *Das Mädchen interessiert **sich** für Sport.*
- → *Wir wollen **uns** den Film ansehen.* → *Sie wollen **sich** den Film ansehen.*

		Nominatif	Accusatif	Datif
Singulier	1ʳᵉ personne	ich	mich	mir
	2ᵉ personne	du	dich	dir
Pluriel	1ʳᵉ personne	wir	uns	uns
	2ᵉ personne	ihr	euch	euch
Forme de politesse		Sie	Sie	Ihnen

6 Récapitulatif : la déclinaison du groupe nominal

	Nominatif	Accusatif	Datif	Génitif
Masculin	**der** Freund ein**Ø** Freund er	**den** Freund **einen** Freund ihn	**dem** Freund **einem** Freund ihm	**des** Freunde**s** **eines** Freunde**s**
Neutre	**das** Pferd ein**Ø** Pferd es		**dem** Pferd **einem** Pferd ihm	**des** Pferde**s** **eines** Pferde**s**
Féminin	**die** Freundin **eine** Freundin sie		**der** Freundin **einer** Freundin ihr	**der** Freundin **einer** Freundin
Pluriel	**die** Freunde **Ø** Freunde sie		**den** Freunde**n** **Ø** Freunde**n** ihnen	**der** Freunde **Ø**

7 Le groupe nominal avec adjectif épithète

- À la différence du français, l'adjectif épithète se place toujours devant le nom.
  - → *Dieses Festival ist ein **großes musikalisches** Erlebnis.*

- Dans **un groupe nominal défini**, c'est le déterminant qui porte la marque de genre, de nombre et de cas. L'adjectif prend alors la terminaison *-e* ou *-en*.

- Dans **un groupe nominal indéfini**, lorsque le déterminant porte la marque, l'adjectif prend également les terminaisons *-e* ou *-en*. Lorsque le déterminant ne porte pas la marque, ou lorsqu'il n'y a pas de déterminant, la marque se reporte sur l'adjectif.

	Nominatif	Accusatif
Masculin	der neue Schüler einØ neuer Schüler	den einen } neuen Schüler
Neutre	das ruhige Mädchen einØ ruhiges Mädchen	
Féminin	die eine } nette Dame	
Pluriel	die kleinen Kinder Ø kleine Kinder	

⚠ En allemand, l'adjectif attribut est invariable.
- → *Till und Meike sind sehr sportlich.*

8 La subordonnée relative complément d'un nom

Comme l'adjectif épithète ou le complément du nom au génitif, la subordonnée relative permet de préciser (ou déterminer) un nom. Elle forme avec le nom un groupe nominal élargi.

→ *Frag den Mann, **der** das Tablett mit Kaffee und Kuchen trägt.*

Dans cet exemple, il s'agit de caractériser la personne dont on parle. À qui doit-on s'adresser ? À ce monsieur qui porte un plateau.

Le pronom relatif *der* remplace l'**antécédent** *den Mann*, dont il prend le genre et le nombre (masculin singulier), mais il se met au cas qui correspond à sa fonction dans la subordonnée (*der*, sujet du verbe *trägt*, est au nominatif, alors que *den Mann* est complément d'objet à l'accusatif).

La proposition relative n'a pas de fonction propre dans la phrase. Elle complète l'antécédent et forme avec lui le groupe complément d'objet du verbe *fragen*. Si on a déjà parlé de cet homme, on peut remplacer tout le groupe par un pronom personnel.

→ <u>*Frag den Mann, der das Tablett mit Kaffee und Kuchen trägt.*</u>
ihn

Lorsqu'il est sujet, le pronom relatif a la même forme que l'article défini au nominatif : *der, das, die* :

– Neutre : → *Siehst du das Auto, **das** an der Ampel steht?*
– Féminin : → *Wo ist die Dame, **die** diese Kuchen verkauft?*
– Pluriel : → *Die Leute, **die** in diesem Haus wohnen, helfen einander.*

5 Les degrés de l'adjectif : comparatif et superlatif

• Comparatif d'**égalité**.
→ *Manon ist **so alt wie** ich.*

• Comparatif d'**infériorité**.
→ *Ich bin aber **nicht so groß wie** sie.*

• Comparatif de **supériorité (degré 1 de l'adjectif)** : On le forme en ajoutant *-er* à l'adjectif. La comparaison est introduite par la conjonction *als*.
→ *In Deutschland sind Videospiele **billiger als** in Frankreich.*

• Le **superlatif (degré 2 de l'adjectif)** : On ajoute *-st* à l'adjectif. L'adjectif épithète conserve en outre sa terminaison (voir déclinaison p. 128). Il ne peut être précédé que d'un article défini ou d'un déterminant possessif.
→ *In diesem Geschäft findet man **die billigsten Videospiele**.*

⚠ Certains adjectifs prennent également l'inflexion.
*alt → **älter** → der **älteste***

De même : *stark, gesund, jung, kalt, warm, lang, kurz, groß...*

⚠ Certaines formes sont irrégulières.
*gut → **besser** → der / die / das **beste***
*nah → **näher** → der **nächste** (le plus proche, le suivant)*
*hoch → **höher** → der **höchste***

De même :
*viel → **mehr**   gern → **lieber***

• L'adjectif au comparatif de supériorité peut également :
– modifier un verbe :
→ *Er arbeitet **besser** als sein Bruder.*

– s'employer comme adjectif épithète pour comparer deux personnes ou objets :
→ *Herr Weber hat zwei Söhne. Der **ältere arbeitet** in Frankreich. (= le plus âgé des deux)*

Lorsque la comparaison porte sur plus de deux éléments, on emploie le superlatif :
→ *Nils ist d**er jüngste** Schüler in der Klasse.*

6 Le groupe prépositionnel

C'est un groupe constitué d'une préposition suivie le plus souvent d'un groupe nominal ou d'un pronom, parfois d'un mot invariable.

→ *mit dem Großvater*   → *mit ihm*
→ *mit dir*   → *nach rechts*

Le groupe nominal ou le pronom se mettent au cas exigé par la préposition. Il faut donc apprendre la préposition et le cas qu'elle exige.

1 Prépositions suivies de l'accusatif

durch (à travers), ***für*** (pour), ***gegen*** (contre), ***ohne*** (sans), ***um*** (autour de)

→ *Rotkäppchen ging **durch den Wald**.*
→ *Dann bitte **ohne mich**!*
→ *Dieser Mann ist **um die Welt** gereist.*

2 Prépositions suivies du datif

mit (avec), *von* (de), *aus* (en provenance de), *bei* (chez, près de), *nach* (direction/après), *zu* (vers, à), *seit* (depuis)

→ *Ich verbringe zwei Monate **bei meinem Austauschpartner**.*
→ ***Nach der Schule** gehen wir ins Eiscafé.*
→ *Er wohnt **seit zwei Jahren** in Berlin.*

3 Prépositions suivies de l'accusatif ou du datif

Ces prépositions entraînent l'accusatif ou le datif, selon qu'elles expriment le changement de lieu (directif) ou le séjour dans un lieu (locatif).

Lieu où l'on va (directif) → *Wohin?* → Accusatif	Lieu où l'on est (locatif) → *Wo?* → Datif
*Die Kinder gehen **in die** Schule.* (Les enfants vont à l'école.)	*Die Kinder sind **in der** Schule.* (Les enfants sont à l'école.)
*Leg das Handy **auf den** Schreibtisch!* (Pose le portable sur le bureau !)	*Dein Handy liegt **auf dem** Schreibtisch.* (Ton portable est sur le bureau.)
*Du hast es **hinter den** Computer gelegt!* (Tu l'as posé derrière l'ordinateur !)	*Liegt es nicht **hinter dem** Computer?* (Il n'est pas derrière l'ordinateur ?)
*Stell doch den Papierkorb **unter den** Tisch!* (Mets donc la poubelle sous la table !)	*Die Katze schläft **unter dem** Bett.* (Le chat dort sous le lit.)
*Ich hänge das Porträt **an die** Wand.* (J'accroche le portrait au mur.)	*Das Porträt hängt **an der** Wand.* (Le portrait est accroché au mur.)
*Marie, ich mache ein Foto. Stell dich **vor die** Oma!* (Mets toi devant ta grand-mère !)	*Vatis Auto steht **vor dem** Rathaus.* (La voiture de Papa est devant la mairie.)
*Lukas, setz dich **neben den** Opa.* (Lukas, assieds-toi à côté de ton grand-père.)	*Lukas sitzt **neben dem** Opa.* (Lukas est assis à côté de son grand-père.)

7 Le verbe

1 Le présent de l'indicatif

a. Les auxiliaires *sein*, *haben* et *werden*

	sein (être)	haben (avoir)	werden (devenir)
ich	bin	habe	werde
du	bist	hast	wirst
er, sie, es	ist	hat	wird
wir	sind	haben	werden
ihr	seid	habt	werdet
sie, Sie	sind	haben	werden

⚠ **Werden** employé avec un verbe à l'infinitif permet d'exprimer **le futur**. On utilise cette forme pour insister (réalisation certaine, promesse, engagement).

→ *Das **wird** ein schönes Fest **sein**!*

En règle générale, la présence d'un complément de temps suffit à donner une valeur de futur à la phrase.

→ ***Nächste Woche** schreiben wir eine Klassenarbeit.*

b. Les verbes faibles et forts

En allemand, il n y a pas de groupes comme en français, mais deux types de verbes :

• **les verbes faibles**, dont la voyelle du radical ne change jamais ;

• **les verbes forts**, dont la voyelle change au prétérit. Certains subissent également un changement de voyelle à la deuxième et à la troisième personne du singulier du présent de l'indicatif (*a/ä*, *e/ie* ou *i*) ou au participe II.

À cela s'ajoutent quelques verbes dont la conjugaison est irrégulière (verbes de modalité, *wissen*, *bringen*, etc.)

	lernen (apprendre)	**reiten** (faire du cheval)	**schlafen** (dormir)	**sehen** (voir)	**nehmen** (prendre)
ich	lerne	reite	schlafe	sehe	nehme
du	lernst	reitest	schläfst	siehst	nimmst
er, sie, es	lernt	reitet	schläft	sieht	nimmt
wir	lernen	reiten	schlafen	sehen	nehmen
ihr	lernt	reitet	schlaft	seht	nehmt
sie, Sie	lernen	reiten	schlafen	sehen	nehmen

c. Les verbes de modalité

können	**Possibilité, capacité**	*Wenn es nicht regnet, können wir schwimmen gehen.* *Max kann Sounds mixen.*
	Impossibilité	*Sie kann heute nicht in die Schule gehen.*
dürfen	**Autorisation**	*Die Kinder dürfen heute Abend ins Kino gehen.*
	Interdiction	*Du darfst jetzt kein Eis essen!*
müssen	**Obligation absolue**	*Wir müssen morgen um 9 Uhr in der Schule sein.*
sollen	**Devoir, recommandation**	*Du sollst jetzt besser aufpassen!* *Was soll ich tun?*
wollen	**Volonté, intention**	*Ich will morgen einkaufen gehen.*
mögen	**Goût, désir, envie**	*Ich mag Sport und Musik.* *Ich mag keinen Stress.* *Ich möchte gern etwas essen.* (j'aimerais)

	können (être capable de)	**dürfen** (avoir le droit)	**müssen** (être obligé)	**wollen** (vouloir)	**mögen** (avoir envie de, aimer)	**sollen** (devoir)
ich	kannØ	darfØ	mussØ	willØ	magØ	sollØ
du	kannst	darfst	musst	willst	magst	sollst
er, sie, es	kannØ	darfØ	mussØ	willØ	magØ	sollØ
wir	können	dürfen	müssen	wollen	mögen	sollen
ihr	könnt	dürft	müsst	wollt	ihr mögt	sollt
sie, Sie	können	dürfen	müssen	wollen	mögen	sollen

2 L'impératif

L'impératif sert à donner un ordre ou un conseil. On ne l'utilise qu'à la deuxième personne et à la forme de politesse. À l'impératif, seuls les verbes forts en **-e** conservent le changement de voyelle à la deuxième personne du singulier.

⚠ Pour rapporter un ordre, on utilise une subordonnée avec le verbe *sollen*.
→ *Der Arzt hat gesagt, dass du ein paar Tage zu Hause bleiben sollst.*

	Verbes forts en -e	**Tous les autres verbes**
2ᵉ personne singulier	*Lies den Text!*	*Fahr doch nicht so schnell!*
2ᵉ personne pluriel	*Lest den Text!*	*Fahrt doch nicht so schnell!*
Forme de politesse	*Lesen Sie bitte diesen Brief!*	*Fahren Sie doch nicht so schnell!*

Le parfait (ou passé composé) indique qu'une action est accomplie ou achevée. Il s'emploie donc pour raconter des événements qui ont déjà eu lieu ou pour tirer un bilan de quelque chose.

C'est un temps composé qui se forme avec :
– l'auxiliaire *sein* ou *haben* ;
– le participe II (ou participe passé) du verbe.

a. Le choix de l'auxiliaire

On emploie *sein* uniquement :
• avec les verbes intransitifs (ceux qui ne peuvent pas avoir un complément à l'accusatif) exprimant un déplacement ou un mouvement dans l'espace ou un changement d'état ;
→ *Um 6 Uhr **sind** wir ins Kino gegangen.*
→ *Wir **sind** heute sehr früh aufgestanden.*
→ *Du **bist** aber groß geworden!*
• avec *passieren* et *geschehen* (événement) ;
→ *Was **ist** passiert? Was **ist** geschehen?*
• pour conjuguer *sein* et *bleiben*.
→ *Er **ist** krank gewesen.*
→ *Mein Brieffreund **ist** drei Wochen bei uns geblieben.*

Dans les autres cas, on utilise l'auxiliaire *haben*.
→ *Ich **habe** meine Großeltern nach Dortmund begleitet.*
    (verbe transitif : complément à l'accusatif)
→ *Mein Onkel **hat** lange in Berlin gewohnt.*
    (verbe intransitif, mais qui n'exprime ni déplacement, ni changement d'état)

b. La formation du participe II

• Pour les verbes faibles : ***ge-*** devant le radical et terminaison *-t*.
→ *machen → **gemacht***
• Pour les verbes forts : ***ge-*** devant le radical terminaison ***-en***.
→ *schlafen → **geschlafen***

Le radical peut changer de voyelle.
→ *helfen → **ge**h**olfen***

Pour savoir si le radical subit un changement de voyelle, il faut apprendre par coeur les différents verbes forts (voir liste p. 133-134).

⚠ Verbes avec un préverbe séparable : ***ge-*** se place devant le radical du verbe.
→ *auf*stehen → ***auf**g**estanden***

⚠ Certains verbes ne prennent pas ***ge-*** au participe II. Ce sont les verbes qui ne sont pas accentués sur la première syllabe :
  • les verbes qui ont un suffixe accentué, comme par exemple *-ieren* ;
→ *telefonieren → Laras Vater hat mit der Klassenlehrerin **telefoniert**.*
  • les verbes formés avec un préverbe inséparable (*be-, emp-, ent-, er-, ge-, ver-, zer-*).
→ *verlieren → Ich habe die Karten für das Konzert **verloren**.*

Pour décrire un fait situé dans le passé, on peut également employer le prétérit, qui correspond en français à l'imparfait et au passé simple. Il est souvent utilisé dans les contes et dans les récits.

Dans la langue courante, on l'emploie fréquemment pour quelques « verbes-outils » :
• ***sein*** → *Ich **war** gestern in Dortmund.*
• ***haben*** → *Ich **hatte** keine Zeit.*
• Les **verbes de modalité** *et wissen* → *Ich **konnte** gestern nicht kommen. Ich **musste** meiner Mutter helfen.*

Le prétérit des verbes faibles se forme en ajoutant la marque *-te* au radical.
→ *spielen → er spiel**te***
⚠ Les verbes se terminant par *-t* ou *-d* prennent un *e* intercalaire.
→ *er arbeit**e**te*

Pour les verbes forts, la voyelle du radical change.
→ *fahren → er f**u**hr*

À ces formes de base on ajoute les terminaisons de personnes, qui sont identiques à celles des verbes de modalité au présent : Ø, ***-st***, Ø, ***-(e)n***, ***-t***, ***-(e)n***

	spielen	fahren	sein	haben	können	müssen
ich	spiel**teØ**	fuhr**Ø**	war**Ø**	hatte**Ø**	konnte**Ø**	musste**Ø**
du	spiel**test**	fuhr**st**	war**st**	hatte**st**	konnte**st**	musste**st**
er, sie, es	spiel**teØ**	fuhr**Ø**	war**Ø**	hatte**Ø**	konnte**Ø**	musste**Ø**
wir	spiel**ten**	fuhr**en**	war**en**	hatte**n**	konnte**n**	musste**n**
ihr	spiel**tet**	fuhr**t**	war**t**	hatte**t**	konnte**t**	musste**t**
sie / Sie	spiel**ten**	fuhr**en**	war**en**	hatte**n**	konnte**n**	musste**n**

Il suffit ainsi de mémoriser la première personne et d'ajouter ensuite les terminaisons de personnes.

Infinitif	Prétérit
werden	ich **wurde**
wollen	ich **wollte**
sollen	ich **sollte**

Infinitif	Prétérit
mögen	ich **mochte**
dürfen	ich **durfte**
wissen	ich **wusste**

5 Le subjonctif II

Le subjonctif II permet d'exprimer :

• une suggestion, une possibilité ou un conseil ;

➜ Wir **könnten** ins Kino gehen.

➜ Du **solltest** deine Großmutter besuchen.

• un souhait, une hypothèse.

➜ Ich **möchte** gern um die Welt reisen.

➜ Ich **würde** gern um die Welt reisen.

➜ **Hättet** ihr auch Lust, um die Welt zu reisen?

➜ Es wäre schön, wenn du mitkommen **könntest**.

On forme le subjonctif II à partir du prétérit, en ajoutant lorsque c'est possible -e et l'inflexion, puis les terminaisons de personnes, qui sont identiques à celles du prétérit et des verbes de modalité au présent : **Ø, -st, Ø, -n, -t, -n**.

Cette forme s'emploie principalement pour les verbes auxiliaires et les verbes de modalité.

sein → er war → **er wäre**

können → er konnte → **er könnte**

haben → er hatte → **er hätte**

sollen → er sollte → **er sollte***

werden → er wurde → **er würde**

mögen → er mochte → **er möchte**

*sollen et wollen ne prennent pas l'inflexion

Pour la plupart des autres verbes, on emploie de préférence la forme **würde + infinitif**.

➜ Wenn ich Geld hätte, **würde** ich eine große Reise durch die Welt **machen**.

8 Verbes forts et verbes faibles irréguliers

Infinitif	3ᵉ pers. présent	Prétérit	Parfait	Traduction
*an*fangen	*er fängt an	er fing an	er hat angefangen	*commencer*
*auf*stehen	er steht auf	er stand auf	er **ist** aufgestanden	*se lever*
*aus*leihen	er leiht aus	er lieh aus	er hat ausgeliehen	*emprunter*
beginnen	er beginnt	er begann	er hat begonnen	*commencer*
bekommen	er bekommt	er bekam	er hat bekommen	*recevoir*
bewerben (sich)	*er bewirbt sich	er bewarb sich	er hat sich beworben	*postuler*
bieten	er bietet	er bot	er hat geboten	*offrir*
bitten	er bittet	er bat	er hat gebeten	*prier, demander*
bleiben	er bleibt	er blieb	er **ist** geblieben	*rester*
bringen	er bringt	er brachte	er hat gebracht	*apporter*
denken	er denkt	er dachte	er hat gedacht	*penser*
*ein*laden	*er lädt ein	er lud ein	er hat eingeladen	*inviter*
entscheiden	er entscheidet	er entschied	er hat entschieden	*décider*
essen	*er isst	er aß	er hat gegessen	*manger*
fahren	*er fährt	er fuhr	er **ist** gefahren	*aller (en véhicule)*
fallen	*er fällt	er fiel	er **ist** gefallen	*tomber*
finden	er findet	er fand	er hat gefunden	*trouver*
fliegen	er fliegt	er flog	er **ist** geflogen	*voler*
fliehen	er flieht	er floh	er **ist** geflohen	*fuir*
geben	*er gibt	er gab	er hat gegeben	*donner*

gefallen	*er gefällt	er gefiel	er hat gefallen	plaire
gehen	er geht	er ging	er **ist** gegangen	aller
genießen	er genießt	er genoss	er hat genossen	profiter de
geschehen	*es geschieht	es geschah	es **ist** geschehen	se passer, arriver
gewinnen	er gewinnt	er gewann	er hat gewonnen	gagner
halten	*er hält	er hielt	er hat gehalten	s'arrêter, tenir
heißen	er heißt	er hieß	er hat geheißen	s'appeler
helfen	*er hilft	er half	er hat geholfen	aider
kennen	er kennt	er kannte	er hat gekannt	connaître
kommen	er kommt	er kam	er **ist** gekommen	venir
lassen	*er lässt	er ließ	er hat gelassen	laisser
laufen	*er läuft	er lief	er **ist** gelaufen	courir
lesen	*er liest	er las	er hat gelesen	lire
liegen	er liegt	er lag	er hat gelegen	être couché
nehmen	*er nimmt	er nahm	er hat genommen	prendre
raten	*er rät	er riet	er hat geraten	conseiller, deviner
reiten	er reitet	er ritt	er **ist** geritten	faire du cheval
rufen	er ruft	er rief	er hat gerufen	appeler
scheinen	er scheint	er schien	er hat geschienen	sembler, briller
schlafen	*er schläft	er schlief	er hat geschlafen	dormir
schreiben	er schreibt	er schrieb	er hat geschrieben	écrire
schreien	er schreit	er schrie	er hat geschrien	crier
schwimmen	er schwimmt	er schwamm	er **ist** geschwommen	nager
sehen	*er sieht	er sah	er hat gesehen	voir
singen	er singt	er sang	er hat gesungen	chanter
sitzen	er sitzt	er saß	er hat gesessen	être assis
sprechen	*er spricht	er sprach	er hat gesprochen	parler
stehen	er steht	er stand	er hat gestanden	être debout
steigen	er steigt	er stieg	er **ist** gestiegen	monter
sterben	*er stirbt	er starb	er **ist** gestorben	mourir
streiten	er streitet	er stritt	er hat gestritten	se disputer
tragen	*er trägt	er trug	er hat getragen	porter
treffen	*er trifft	er traf	er hat getroffen	rencontrer
treiben (Sport)	er treibt Sport	er trieb Sport	er hat Sport getrieben	faire du sport
trinken	er trinkt	er trank	er hat getrunken	boire
treten	*er tritt	er trat	er ist getreten	entrer
tun	er tut	er tat	er hat getan	faire
umziehen	er zieht um	er zog um	er **ist** umgezogen	déménager
verbinden	er verbindet	er verband	er hat verbunden	assembler, relier
vergessen	*er vergisst	er vergaß	er hat vergessen	oublier
vergleichen	er vergleicht	er verglich	er hat verglichen	comparer
verlieren	er verliert	er verlor	er hat verloren	perdre
verschwinden	er verschwindet	er verschwand	er **ist** verschwunden	disparaître
verstehen	er versteht	er verstand	er hat verstanden	comprendre
vorschlagen	*er schlägt vor	er schlug vor	er hat vorgeschlagen	proposer
wachsen	*er wächst	er wuchs	er ist gewachsen	grandir, pousser
waschen	*er wäscht	er wusch	er hat gewaschen	laver

* Changement de voyelle à la deuxième et troisième personnes du singulier présent.

Lexique
allemand-français

Ce lexique comprend les mots du manuel. Les verbes forts et les verbes irréguliers sont indiqués par *, les préverbes séparables sont en italique.

a

ab	à partir de
Abend (-e) (der)	soir
abfahren*	partir
Abgase (pl.) (die)	gaz d'échappement
ähnlich	pareil, eille
ähnlich sehen* (sich)	ressembler (se)
All (-s) (das)	espace
allein	seul, e
Alltag (der)	vie quotidienne
alt	vieux, vieille
Altbau (-ten) (der)	bâtiment ancien
Alter (das)	âge
Altstadt (die)	centre historique
ändern	changer, modifier
anders	autrement
anfangen*	commencer
Anführer (-) (der)	chef de bande
Angebot (-e) (das)	offre
angenehm	agréable
Angst (¨e) (die)	peur
ankommen*	arriver
Ankunft (die)	arrivée
anmelden (sich)	inscrire (s')
anrufen* (+ acc.)	appeler au téléphone
anschauen	regarder
ansteigen*	augmenter
anstrengend	fatigant, e
Antwort (-en) (die)	réponse
antworten	répondre
Anzeige (-n) (die)	annonce
Apfel (¨) (der)	pomme
Apfelsaft (¨e) (der)	jus de pomme
Apotheke (-n) (die)	pharmacie
Arbeit (-en) (die)	travail
arbeiten	travailler
ärgern (sich)	fâcher (se)
arm	pauvre
auch	aussi
Aufenthalt (-e) (der)	séjour
auffallen*	attirer l'attention
Aufführung (-en) (die)	représentation
Aufgabe (-n) (die)	devoir (mission)
aufgeben*	abandonner
aufhören	arrêter (de faire qc)
auflegen	raccrocher
aufpassen	faire attention
aufräumen	ranger
aufregen (sich)	énerver (s')
aufstehen*	se lever
Ausbildung (-en) (die)	formation
ausdrücken	exprimer
auseinanderhalten*	différencier
Ausflug (¨e) (der)	excursion
ausgeben*	dépenser
ausgehen*	sortir
Auskunft (¨e) (die)	renseignement
Ausland (das)	étranger (pays)
ausleihen*	emprunter
Aussage (-n) (die)	déclaration
ausschimpfen (+acc.)	gronder qn
aussehen*	avoir l'air
außerdem	en outre
aussteigen*	descendre (d'un véhicule)
Ausstellung (-en) (die)	exposition
Austausch (-e) (der)	échange
Austauschpartner (-) / Austauschpartnerin (-nen) (der/die)	correspondant, e
ausüben	exercer (un métier)
auswählen	choisir
Auszug (¨e) (der)	extrait
Auto (-s) (das)	voiture
autofrei	sans voiture

b

backen	cuire au four
baden	se baigner
Bahnhof (¨e) (der)	gare
bald	bientôt
Band (¨er) (das)	ruban
Band (¨e) (der)	volume (livre)
basteln	bricoler
Bau (-ten) (der)	construction
bauen	construire
Bauernhof (¨e) (der)	ferme
Baum (¨e) (der)	arbre
Baustelle (-n) (die)	chantier
Bayern	Bavière
bedeuten	signifier
beeindruckend	impressionnant, e
beenden	terminer
befinden*, sich	se trouver
befragen (+ acc.)	interroger qn
begabt	doué, e
begegnen (+ dat.)	rencontrer
begeistern (sich)	enthousiasmer (s')
begeistert	enthousiaste
beginnen*	commencer
begleiten	accompagner
beibringen*	enseigner (qc à qn)
beide	(tous) les deux
Beispiel (-e) (das)	exemple
bekannt	connu, e, célèbre
bekommen*	recevoir
benutzen	utiliser
Benzin (das)	essence
beraten*	conseiller
berauscht	heureux, satisfait (fig.)
bereit	prêt, e
Bericht (-e) (der)	compte-rendu, rapport
berichten	rendre compte
Beruf (-e) (der)	métier
beschädigen	abîmer
beschmutzen	salir
beschreiben*	décrire
besichtigen	visiter (monument, lieu)
besitzen*	posséder
besonders	particulièrement

besser	mieux
Beste (der/die/das)	meilleur, e (le/la), mieux (le)
bestehen* (in/auf + dat.)	consister (en), insister (sur)
bestimmt	certainement
Besuch (-e) (der)	visite (personne)
besuchen (+ acc.)	rendre visite
Bett (-en) (das)	lit
bewachen	surveiller
bewegen (sich)	bouger, mouvoir (se)
bewerben* (sich)	postuler, poser sa candidature
bewundern	admirer, adorer
bezahlen	payer
beziehen*, sich (auf + acc.)	se rapporter (à)
Bild (-er) (das)	image
Bildungsmesse (-n) (die)	salon de la formation
billig	bon marché
bis	jusqu'à
bis bald	à bientôt
bisschen (ein)	un peu
bitte	s'il te/vous plaît
bitten* (+ acc.)	demander, prier
bleiben*	rester
blind	aveugle
blöd	stupide
Blutprobe (-n) (die)	prise de sang
böse	méchant, e
Bote (-n) / Botin (-nen) (der/die)	coursier, ière
brauchen (+ acc.)	avoir besoin (de)
Brief (-e) (der)	lettre
bringen*	apporter
Brücke (-n) (die)	pont
Bruder (¨) (der)	frère
Buch (¨er) (das)	livre
Buchdruck (der)	imprimerie
Buchstabe (-n) (der)	lettre (alphabétique)
Bühne (-n) (die)	scène
Bummel (-) (der)	balade
Bundesland (¨er) (das)	État régional
Bundesrepublik (die)	République fédérale
bunt	multicolore
Bürgermeister (-) / Bürgermeisterin (-nen) (der/die)	maire

c

Chor (¨e) (der)	chorale
Comic (-s) (der)	bande dessinée
Computer (-) (der)	ordinateur

d

da	là
Dach (¨er) (der)	toit
dafür	pour (qc)
dagegen	contre (qc)
dahinter	derrière

damals	autrefois, à l'époque
danach	après, ensuite
dankbar	reconnaissant, e
danken (+ dat.)	remercier
dann	ensuite
Datei (-en) (die)	fichier
dauern	durer
denken* (an + acc.)	penser (à)
Deutsche (-n) (der/die)	Allemand, e
Deutschland	Allemagne
Dialog (-e) (der)	dialogue
Diät (-en) (die)	régime
dick	gros, grosse
Ding (-e) (das)	chose
doof	bête, nul
Dorf (-̈er) (das)	village
dort	là-bas
draußen	dehors
dunkel	sombre
Durchsage (-n) (die)	message, annonce orale
dürfen*	avoir le droit

e

echt	vraiment
egal	sans importance
ehemalig	ancien, ne
Eigenschaft (-en) (die)	qualité
eigentlich	en fait, à dire vrai
ein paar	quelques
einfach	simple, facile
Einfamilienhaus (-̈er) (das)	pavillon, maison individuelle
einige	quelques
einkaufen	faire les courses
Einkaufszentrum (-tren) (das)	centre commercial
einladen*	inviter
einmal	une fois
einpacken	faire sa valise
Einrad (-̈er) (das)	monocycle
einrichten	aménager
einschlafen*	s'endormir
eintreten*	entrer
Eintrittskarte (-n) (die)	ticket d'entrée
einverstanden sein	être d'accord
Einwohner (-) / Einwohnerin (-nen) (der/die)	habitant, e
Eisdiele (-n) (die)	marchand de glace (lieu)
Elsass (das)	Alsace
elsässisch	alsacien, ne
Eltern (pl.) (die)	parents
empfangen*	recevoir
empfehlen*	recommander
Ende (das)	fin (la)
enden	terminer (se), finir
endlich	enfin
England	Angleterre
Engländer (-) / Engländerin (-nen) (der/die)	Anglais, e
Enkel (-) / Enkelin (-nen) (der/die)	petit-fils, petite-fille
entdecken	découvrir
entfernt	éloigné, e, distant, e
entscheiden* (sich)	décider (se)
Entschuldigung!	pardon !
entstehen*	naître, se développer

Entstehung (-en) (die)	naissance (fig.)
enttäuscht	déçu, e
Entwicklung (-en) (die)	développement
Ereignis (-se) (das)	événement
erfahren*	apprendre (une nouvelle)
erfinden*	inventer
Erfinder (-) / Erfinderin (-nen) (der/die)	inventeur
Erfolg (-e) (der)	succès
ergänzen	compléter
Ergebnis (-se) (das)	résultat
erinnern, sich	se souvenir
erkennen*	reconnaître
erklären	expliquer
erkranken	tomber malade
erlaubt	autorisé, e
erleben	vivre (un événement)
Erlebnis (-se) (das)	expérience (vécue)
ernähren, sich	se nourrir
Ernährung (-en) (die)	alimentation
ernst	sérieux, euse
eröffnen	ouvrir, inaugurer
Eröffnung (-en) (die)	ouverture, inauguration
erschöpft	épuisé, e
erst	seulement (temporel)
erstaunlich	étonnant, e
erstellen	réaliser qc (faire)
erzählen	raconter
Erziehung (die)	éducation
es gibt* (+ acc.)	il y a
essen*	manger
etwas	quelque chose

f

fahren*	aller (en véhicule)
Fahrgast (-̈e) (der)	passager, voyageur
Fahrrad (-̈er) (das)	vélo
fallen*	tomber
falsch	faux, fausse
Familienunternehmen (-) (das)	entreprise familiale
Fantasie (-n) (die)	imagination
Farbschmiererei (-en) (die)	gribouillage
fast	presque
fasziniert	fasciné, e
fehlen	manquer
Fenster (-) (das)	fenêtre
Ferien (pl.) (die)	vacances
Fernbedienung (-en) (die)	télécommande
fernsehen*	regarder la télévision
fertig	terminé, e, prêt, e
Fest (-e) (das)	fête
Feuerwehr (die)	pompiers
finden*	trouver
Finger (-) (der)	doigt
Firma (-men) (die)	entreprise
fit	en forme
fliegen*	voler
fliehen*	fuir
folgen (+ dat.)	suivre
folgend	suivant
fördern	favoriser qc
Fortschritt (-e) (der)	progrès
Foto (-s) (das)	photographie
Fragebogen (der)	questionnaire

fragen (+ acc.)	questionner, interroger qn
Frankreich	France
Franzose (-n) / Französin (-nen) (der/die)	Français, e
frei	libre
Freizeit (die)	temps libre, loisirs
Fremdsprache (-n) (die)	langue étrangère
fressen*	dévorer, manger (animaux)
freuen, sich (auf + acc.)	se réjouir (de)
freundlich	sympathique
Freundschaft (-en) (die)	amitié
Friseur (-e) / Friseurin (-nen) (der/die)	coiffeur, euse
froh	content, e
früh	tôt
früher	avant, autrefois
fühlen (sich)	sentir (se)
führen	mener
Führer (-) / Führerin (-nen) (der/die)	guide (personne)
Führung (unter der)	direction (sous la)
Fußgänger (-) / Fußgängerin (-nen) (der/die)	piéton, piétonne
füttern	nourrir un animal

g

ganz	tout, complètement
Garten (-̈) (der)	jardin
Gebäude (-) (das)	bâtiment
geben*	donner
geboren werden*	naître
Geburt (-en) (die)	naissance
Geburtstag (-e) (der)	anniversaire
geduldig	patient, e
gefährlich	dangereux, euse
gefallen* (+ dat.)	plaire
gegen (+ acc.)	contre
Gegenzug (im)	en contrepartie
Geheimnis (-se) (das)	secret
gehen*	aller (à pied)
Gehirn (-e) (das)	cerveau
gehören (+ dat.)	appartenir (à)
Geld (das)	argent
gelten* (als)	être considéré comme
Gemälde (das)	tableau, peinture
gemeinsam	commun, e, ensemble
Gemüse (das)	légumes (pl.)
Gemüsebau (der)	culture des légumes
genießen*	profiter
genug	assez, suffisant, e
geöffnet	ouvert, e
gepflegt	entretenu, e
gerade	juste, droit
geradeaus	tout droit
Geräusch (-e) (das)	bruit
gerecht	équitable
Germane (-n) / Germanin (-nen) (der/die)	Germain, e (Allemand)
gern	volontiers
Gesamtschule (-n) (die)	établissement d'enseignement secondaire (collège + lycée)
Gesang (-̈e) (der)	chant
Geschäft (-e) (das)	magasin, boutique
geschehen*	se passer, arriver
Geschenk (-e) (das)	cadeau

Geschichte (-n) (die)	histoire
geschickt	habile
Geschwister (pl.) (die)	frères et sœurs
gespannt	impatient, e
Gespräch (-e) (das)	conversation
gestern	hier
gesund	en bonne santé, bon pour la santé
Gesundheit (die)	santé
Getränk (-e) (das)	boisson
gewinnen*	gagner (à un jeu)
gewöhnlich	habituel, elle / habituellement
glauben	croire
gleich	semblable, pareil, eille
Gleis (-e) (das)	voie
glücklich	heureux, euse
grässlich	affreux, euse
grau	gris, e
Grenze (-n) (die)	frontière
grenznah	près de la frontière
grillen	faire des grillades
groß	grand, e
Großeltern (pl.) (die)	grands-parents
Großmutter (¨) (die)	grand-mère
Großvater (¨) (der)	grand-père
gründen	fonder
Gründer (-) / Gründerin (-nen) (der/die)	fondateur, trice
Grundschule (-n) (die)	école primaire
Gründung (-en) (die)	fondation
Grünfläche (-n) (die)	espace vert
grüßen	saluer
gruselig	effrayant, e
gucken	regarder
Gymnasium (-sien) (das)	lycée

h haben*	avoir
Hafen (¨) (der)	port
halten*	tenir, s'arrêter
halten* (von + dat.)	penser (de qn / qc)
Hand (¨e) (die)	main
Handtuch (¨er) (das)	serviette de toilette
handwerklich	manuel, elle
Handy (-s) (das)	téléphone portable
hängen / hängen*	suspendre, accrocher / être accroché
Hass (der)	haine
hassen	détester
hässlich	laid, e, affreux, euse
Hauptstadt (¨e) (die)	capitale
Haus (¨er) (das)	maison
Hausordnung (-en) (die)	règlement intérieur
Haut (¨e) (die)	peau
heißen*	s'appeler
helfen* (+ dat.)	aider
Helm (-e) (der)	casque
Hemd (-en) (das)	chemise
*herein*kommen*, *rein*kommen*	entrer
*her*geben*	donner, apporter
Herkunft (die)	origine
*herunter*kommen*	descendre
heuer	cette année
heute	aujourd'hui
hier	ici
Hilfe (-n) (die)	aide

hinten	derrière
*hinzu*fügen	ajouter
hoch	haut, e
Hochindustrialisierung (die)	industrialisation
hocken	être accroupi
hoffen	espérer
Hoffnung (-en) (die)	espoir
holen	aller chercher
Honig (-e) (der)	miel
hören	entendre
Hose (-n) (die)	pantalon
hübsch	joli, e, charmant, e
Huhn (¨er) (das)	poule
Hund (-e) (der)	chien
Hurrikan (-s) (der)	ouragan
Hut (¨e)	chapeau
hüten	garder (des enfants)

i Imbissbude (-n) (die)	snack
immer	toujours
Imperium (das)	empire
Industrieanlage (-n) (die)	usine, site industriel
Innenstadt (¨e) (die)	centre-ville
Insel (-n) (die)	île
insgesamt	en tout, au total
interessieren (sich) (für)	intéresser (s') (à)
inzwischen	entre-temps

j Jahr (-e) (das)	année
jährlich	annuel, le
jede (r, s)	chaque
jedenfalls	de toute façon
jemand	quelqu'un
jetzt	maintenant
jung	jeune
Junge (-n) (der)	garçon
Jugendherberge (-n) (die)	auberge de jeunesse
Jugendliche (-n) (der/die)	jeune (le/la)
Jugendlicher (ein)	jeune (un)
Jugendrat (¨e) (der)	conseil municipal des jeunes
Jurastudium (das)	études de droit

k Käfig (-e) (der)	cage
kalt	froid, e
kämpfen (für/gegen + acc.)	combattre (pour/ contre qc)
kaputt	cassé, e
Karte (-n) (die)	carte, billet d'entrée
Kauf (der)	achat
kaufen	acheter
kennen lernen	faire connaissance
kennen*	connaître
kennzeichnen	caractériser
Kicker (-) / Kickerin (-nen) (der/die)	footballeur, euse
Kind (-er) das	enfant
Kinderlähmung (die)	poliomyélite
Kindheit (die)	enfance
Kino (-s) (das)	cinéma
klar	clair, e, évident, e
klasse	super

Klassenfahrt (-en) (die)	sortie de classe
kleben	coller
Kleid (-er) (das)	robe
klein	petit, e
klettern	faire de l'escalade
kochen	cuisiner
Koffer (-) (der)	valise
komisch	bizarre
kommen*	venir
können*	pouvoir
Körper (-) (der)	corps
kosten	coûter
krank	malade
Krankenschwester (-n) (die)	infirmière
Kräuter (pl.) (die)	herbes (de cuisine)
kreieren	créer
Krimi (-s) (der)	polar
Küche (-n) (die)	cuisine
kümmern, sich (um + acc.)	s'occuper de qc/qn
Kunst (¨e) (die)	art
künstlerisch	artistique
Kurs (-e) (der)	cours
kurz	court, e

l lächeln	sourire
lachen	rire
Laden (¨) (der)	boutique, magasin
Land (¨er) (das)	pays, campagne
Landkarte (-n) (die)	carte géographique
Landwirtschaft (die)	agriculture
lang	long, longue
langsam	lent, e / lentement
langweilig	ennuyeux, euse
Lärm (der)	bruit
lassen*	laisser, faire (faire)
laufen*	courir
Laufschuh (-e) (der)	chaussure de course
Laune (-) (die)	humeur
laut	fort, e, bruyant, e
leben	vivre
Leben (-) (das)	vie
lebendig	vivant, e
legen	coucher, poser à plat
Lehrer (-) / Lehrerin (-nen) (der/die)	professeur
leicht	facile
Leistungen (die)	résultats, performances
lernen	apprendre
lesen*	lire
letzt-	dernier, ère
Leute (pl.) (die)	gens
Liebe (-n) (die)	amour
lieben	aimer
Liebeskomödie (-n) (die)	comédie romantique
Lieblings-	préféré, e
Lied (-er) (das)	chanson
liegen*	être couché
links	à gauche
lösen	résoudre
Lothringen	Lorraine
Luft (¨e) (die)	air
Lust (¨e) (die)	envie, plaisir
Lust haben*	avoir envie
lustig	drôle, amusant, e

m

machen	faire
Mädchen (-) (das)	fille
Mal (-e) (das)	fois
malen	peindre
Maler (-) / Malerin (-nen) (der/die)	peintre
manchmal	parfois
Mann (¨er) (der)	homme
Mannschaft (-en) (die)	équipe
Märchen (-) (das)	conte
Mauer (-n) (die)	mur
mehr	plus
meinen	penser, croire
Meinung (-en) (die)	avis, opinion
meisten (die)	la plupart
Menge (die)	quantité
Mensch (-en) (der)	homme, être humain, personne
Mensch!	Mon dieu !
merken	remarquer
Miete (-n) (die)	loyer
Milch (die)	lait
mindestens	au moins
Mist (der)	n'importe quoi
mit (+ dat.)	avec
*mit*machen	participer
Mitschüler (-) / Mitschülerin (-nen) (der/die)	camarade de classe
Mittag (-e) (der)	midi
*mit*teilen	annoncer
mögen*	aimer, avoir envie de
möglich	possible
Möglichkeit (-en) (die)	possibilité
Monat (-e) (der)	mois
Mörder (-) / Mörderin (-nen) (der/die)	meurtrier, ière
morgen	demain
Motivationsbrief (-e) (der)	lettre de motivation
müde	fatigué, e
müssen*	devoir (être obligé de)
mutig	courageux, euse
Mutter (¨) (die)	mère
Mythos (der)	mythe

n

Nachbar (-n) / Nachbarin (-nen) (der/die)	voisin, e
Nachhilfe (-n) (die)	cours particulier
Nachmittag (-e) (der)	après-midi
Nachricht (-en) (die)	nouvelle (information)
nächst-	prochain, e
Nacht (¨e) (die)	nuit
Nachteil (-e) (der)	inconvénient
nah, nahe	près
Nähe (die)	proximité
nähen	coudre
Name (-n) (der)	nom
natürlich	naturellement
neben (+ acc./dat.)	à côté de
nehmen*	prendre
Neigung (-en) (die)	goût, intérêt
nennen*	nommer
nervös	nerveux, euse
nett	gentil, ille, agréable
neu	nouveau, elle
neugierig	curieux, euse
nicht	pas (négation)

nichts	rien
nie/niemals	jamais
Niederlage (-n) (die)	défaite
niemand	personne
nun	maintenant
nur	seulement

o

oben	en haut
Obst (das)	fruits (pl.)
Obstbau (der)	culture des fruits
Ofen (¨) (der)	four
offen	ouvert, e
öffentlich	public, que
oft	souvent
ohne (+ acc.)	sans
ökologisch	écologique
Orientierungslauf (¨e) (der)	course d'orientation
Ort (-e) (der)	lieu
Ossi (-s) (der)	habitant de l'ex-Allemagne de l'Est (péjoratif)
Osten (der)	est
Österreich	Autriche

p

passen	convenir
Pate (-n) / Patin (-nen) (der/die)	parrain, marraine
Patenkind (-er) (das)	filleul
pausenlos	sans pause
Pferd (-e) (das)	cheval
Pfirsich (-e) (der)	pêche
pflanzen	planter
Pflaume (-n) (die)	prune
pflegen	soigner
Pflicht (-en) (die)	devoir
pflücken	cueillir
Plakat (-e) (das)	affiche
planen	projeter
Praktikum (-ka) (das)	stage
praktisch	pratique
Praxis (die)	cabinet (médical)
Preis (-e) (der)	prix
prima	super
Proberaum (¨e) (der)	salle de répétition
Produktionsmenge (-n) (die)	quantité produite
Profi (-s) (der)	professionnel (le)
Publikum (das)	public
Pulli (-s) (der)	pull-over
pünktlich	ponctuel, elle
Puppe (-n) (die)	poupée
putzen	nettoyer

q

Qual (-en) (die)	tourment

r

Rad fahren*	faire du vélo
Rat (-schläge) (der)	conseil
raten*	deviner, conseiller
Rathaus (das)	hôtel de ville
Räuber (-) / Räuberin (-nen) (der/die)	brigand, voleur, euse
Rauch (der)	fumée
Raum (¨e) (der)	pièce, espace
Raumflug (¨e) (der)	vol dans l'espace
Realschule (-n) (die)	collège
Recht (-e) (das)	droit (le)

rechts	à droite
Rechtsanwalt (¨e) / Rechtsanwältin (-nen) (der/die)	avocat, e
Rede (-n) (die)	discours, parole
Referat (-e) (das)	exposé
Regel (-n) (die)	règle (principe)
Regierung (-en) (die)	gouvernement
Regisseur (-e) (der)	réalisateur
regnen	pleuvoir
reich	riche
Reise (-n) (die)	voyage
reisen	voyager
reiten*	faire du cheval
Rhein (der)	Rhin
richtig	correct, e
riesig	énorme
Römer (-) / Römerin (-nen) (der/die)	Romain, e
Rotkäppchen (das)	Le Petit Chaperon Rouge
rufen*	appeler
ruhig	calme

s

Sache (-n) (die)	affaire, chose
Saft (¨e) (der)	jus (de fuit)
Sage (-n) (die)	légende
sagen	dire
sammeln	rassembler, collectionner
sauber	propre
Schachtel (-n) (die)	boîte, carton
schade	dommage
schaffen	réussir
Schafott (-e) (das)	échafaud
Schalter (-) (der)	guichet
schalldicht	insonorisé, e
schauen	regarder
Schauspieler (-) / Schauspielerin (-nen) (der/die)	acteur, trice
scheinen*	briller, sembler
schenken	offrir
schicken	envoyer
Schiff (-e) (das)	bateau
Schlacht (-en) (die)	bataille
schlafen*	dormir
Schlafsack (¨e) (der)	sac de couchage
schlagen*	frapper, battre
schlecht	mauvais, e
schließlich	enfin, finalement
schlimm	grave
Schloss (¨er) (das)	château
Schmierer (-) / Schmiererin (-nen) (der/die)	gribouilleur, euse
schmutzig	sale
schneien	neiger
schnell	vite, rapide
schon	déjà
schön	beau, belle
schrecklich	horrible
schreiben*	écrire
schreien*	crier
Schuh (-e) (der)	chaussure
Schule (-n) (die)	école
Schüler (-) / Schülerin (-nen) (der/die)	élève
Schulgemeinschaft (-en) (die)	communauté scolaire

Schulung (-en) (die)	formation
Schweiz (die)	Suisse (la)
Schweizer (-) /Schweizerin (-nen) (der/die)	Suisse, Suissesse
schwer	lourd, e, difficile
Schwester (-n) (die)	sœur
schwierig	difficile
Schwimmweste (-n) (die)	gilet de sauvetage
See (-n) (der)	lac
See (-n) (die)	mer
segeln	faire de la voile
sehen*	voir
sehr	très
sein*	être
seit (+ dat.)	depuis
Seite (-n) (die)	page
selber, selbst	soi-même
selbstbewusst	plein, e d'assurance
Senden (-) (das)	envoi
Sendung (-en) (die)	émission
Seniorenheim (-e) (das)	maison de retraite
sensibel	sensible
setzen, sich	s'asseoir
sicher	sûr, e
siegen	vaincre
singen*	chanter
sinnlos	absurde
sitzen*	être assis
Sitzung (-en) (die)	réunion
Socke (-n) (die)	chaussette
Sofa (-s) (das)	canapé
sofort	aussitôt
Sohn (-e) (der)	fils
solange	aussi longtemps que, tant que
Solaranlage (-n) (die)	panneau solaire
sollen*	devoir
sondern	mais
sonst	sinon
Sorge (-n) (die)	souci, inquiétude
sorgen (für + acc.)	veiller (à)
Spanier (-) / Spanierin (-nen) (der/die)	Espagnol, e
spanisch	espagnol, e
spannend	passionnant, e
Spaß (-e) (der)	plaisir
spät	tard
spazieren gehen*	se promener
speichern	enregistrer, sauvegarder
spenden	faire don de
Spiel (-e) (das)	jeu, match
Spieldose (-n) (die)	boîte à musique
spielen	jouer
Spielplatz (-e) (der)	terrain de jeux
Spielzeug (-e) (das)	jouet
spinnen*	dire n'importe quoi
Sportler (-) / Sportlerin (-nen) (der/die)	sportif, ve
Sprache (-n) (die)	langue
Sprayer (-) / Sprayerin (-nen) (der/die)	tagueur, euse
Sprechblase (-n) (die)	bulle (de bande dessinée)
sprechen*	parler
sprühen	taguer
Stadt (-e) (die)	ville
Stadtbewohner (-) / Stadtbewohnerin (-nen) (der/die)	citadin, e
Stadtrand (der)	banlieue, périphérie de la ville

Stadtrundgang (-e) (der) / Stadtrundweg (-e) (der)	tour de la ville, circuit
Stadtteil (-e) (der)	quartier
Stadtzentrum (das)	centre-ville
Stahlwerk (-e) (das)	aciérie
ständig	sans arrêt
stark	fort, e
*statt*finden*	avoir lieu
stehen*	être debout, se trouver
stehen* (auf + acc.)	craquer pour qc/qn
steigen*	monter
stellen	mettre, poser
sterben*	mourir
still	calme, silencieux, euse
Stimme (-n) (die)	voix
stimmen	être exact, e
stören	déranger
Strand (-e) (der)	plage
Straße (-n) (die)	rue
Straßenbahn (-en) (die)	tramway
Streit (-e) (der)	dispute
streiten* (sich)	disputer (se)
streng	sévère
stricken	tricoter
Stück (-e) (das)	morceau
Stunde (-n) (die)	heure (durée)
suchen	chercher
süß	mignon, onne, sucré, e, doux, douce

Tag (-e) (der)	jour
täglich	quotidien, ne
tanken	mettre de l'essence
tanzen	danser
Taschenlampe (-n) (die)	lampe de poche
Tat (in der)	en effet
tausend	mille
Teil (-e) (der)	partie
teilen	partager
*teil*nehmen (an + dat.)	participer à qc, prendre part à qc
Teilung (die)	séparation
Termin (-e) (der)	rendez-vous
teuer	cher, chère (prix)
Tier (-e) (das)	animal
Tierarzt (-e) / Tierärztin (-nen) (der/die)	vétérinaire
Tierpfleger (-) / Tierpflegerin (-nen) (der/die)	soigneur, euse
Tipp (-s) (der)	conseil
Tochter (-) (die)	fille
Tod (-e) (der)	mort (la)
toll	génial, e, inouï, e
Töpfer (-) / Töpferin (-nen) (der/die)	potier, ère
tot	mort, e
tragen*	porter
trainieren	s'entraîner
Transportmittel (-) (das)	moyen de transport
träumen	rêver
traurig	triste
treffen* (sich)	rencontrer (se)
Treffpunkt (-e) (der)	lieu de rendez-vous
treiben* (Sport)	faire du sport
trennen (sich)	séparer (se)
treten*	entrer

trinken*	boire
Tschechien	République tchèque
trösten	consoler
trotzdem	néanmoins, pourtant
tun*	faire
U-Bahn (-en) (die)	métro
übermorgen	après-demain
übersetzen	traduire
überzeugen	convaincre
übrigens	au fait, d'ailleurs
Übung (-en) (die)	exercice
Uhr (-en) (die)	horloge, montre, heure
Umfrage (-n) (die)	sondage, enquête
*um*planen	modifier un projet
*um*steigen*	changer (de train)
umweltfreundlich	écologique, favorable à l'environnement
*um*ziehen*	déménager
unbedingt	absolument
Unfall (-e) (der)	accident
ungeduldig	impatient, e
ungefähr	environ
Ungerechtigkeit (-en) (die)	inégalité
ungewollt	involontaire, non voulu, e
unglaublich	incroyable
unmöglich	impossible
unten	en bas
unter (+ acc./dat.)	sous
unternehmen*	entreprendre
Unternehmen (-) (das)	entreprise
Unterricht (der)	cours, enseignement
unterscheiden*	différencier
unterschiedlich	différent, e
Unterwäsche (-n) (die)	sous-vêtements
unvergesslich	inoubliable
usw. (und so weiter)	etc.
Vater (-) (der)	père
veranstalten	organiser
verbessern	améliorer
verbinden*	assembler, relier
Verbot (-e) (das)	interdiction
verboten	interdit, e
verbringen*	passer (un moment)
Verein (-e) (der)	association
verfügbar	disponible
vergessen*	oublier
vergleichen*	comparer
Vergrößerung (-en) (die)	agrandissement
verhalten*, sich	se comporter
Verhältnis (-se) (das)	rapport, relation
verheiratet	marié, e
verkaufen	vendre
Verkehrsmittel (-) (das)	moyen de transport
verlassen*	quitter, abandonner
verliebt	amoureux, euse
verlieren*	perdre
vermissen	manquer à qn
veröffentlichen	publier
verschieden	différent, e
verschwinden*	disparaître
verspätet	en retard

Verspätung (-en) (die)	retard	
verstehen*	comprendre	
verstehen*, sich	s'entendre	
versuchen	essayer (de faire qc)	
Vertrauen (das)	confiance	
verrückt	fou, folle	
Verwandten (pl.) (die)	famille (au sens large)	
verwirklichen	réaliser	
viel	beaucoup	
vielleicht	peut-être	
Viertel (-) (das)	quart, quartier	
Visum (das)	visa	
Volk (¨er) (das)	peuple	
vor (+ acc./dat.)	devant	
Voraussetzung (-en) (die)	condition (prérequis)	
vor allem	avant tout	
vorbei	terminé, e, passé, e	
vorbereiten	préparer	
vorgestern	avant-hier	
vorhaben*	avoir prévu de, avoir l'intention de	
vorlesen*	lire à voix haute	
Vorname (-n) (der)	prénom	
vorschlagen*	proposer	
vorstellen (sich)	présenter (se)	
Vorteil (-e) (der)	avantage	

W

wachsen*	grandir, pousser
Waffe (-n) (die)	arme
Wahl (-en) (die)	choix, élection
wählen	choisir, élire
während	pendant
Wahrsager (-) / Wahrsagerin (-nen) (der/die)	voyant, e
Wald (¨er) (der)	forêt
Wand (¨e) (die)	mur
wandern	faire de la randonnée
warm	chaud, e
warten (auf + acc.)	attendre
warum	pourquoi
waschen*	laver
Wasser (das)	eau
wechseln	changer qc
Weg (-e) (der)	chemin

wehtun*	faire mal
Weihnachten	Noël
weil	parce que
weinen	pleurer
weit	loin
welcher, e, es	lequel, laquelle, quel, quelle
Welt (-en) (die)	monde
Weltall (das)	univers
Weltkrieg (-e) (der)	guerre mondiale
Weltkulturerbe (das)	patrimoine culturel mondial
wenig	peu
werden*	devenir
werfen*	jeter
Wessi (-s) (der)	habitant de l'ex-Allemagne de l'Ouest (péjoratif)
Wetter (das)	temps (qu'il fait)
wichtig	important, e
wieder	de nouveau, encore
wiederholen	répéter
Wiedervereinigung (die)	réunification
Wille (der)	volonté
willkommen	bienvenu, e
wirklich	vraiment
Wirtschaft (die)	économie
wissen*	savoir
Wissenschaft (die)	science
Witz (-e) (der)	blague
witzig	drôle, amusant, e
Woche (-n) (die)	semaine
wo	où
Wochenende (-en) (das)	week-end
woher	d'où (origine)
wohin	où (direction)
wohnen	habiter
Wohnfläche (-n) (die)	surface de l'habitat
Wohnort (-e) (der)	domicile
Wohnsiedlung (-en) (die)	lotissement
Wohnung (-en) (die)	appartement
Wolf (¨e) (der)	loup
wollen*	vouloir
Workshop (-s) (der)	atelier
Wort (¨er) (das)	mot
wunderbar	extraordinaire
wundern (sich) (über + acc.)	étonner (s') (de)
Wunsch (¨e) (der)	souhait

Z

Zahl (-en) (die)	nombre
zahlen	payer
zählen	compter
Zahnarzt (¨e) / Zahnärztin (-nen) (der/die)	dentiste
Zahnbürste (-n) (die)	brosse à dents
Zahnpasta (die)	dentifrice
zeichnen	dessiner
zeigen	montrer
Zeit (-en) (die)	temps (qui passe)
Zeitschrift (-en) (die)	magazine, revue
Zeitung (-en) (die)	journal
zelten	camper, faire du camping
Zentrum (-tren) (das)	centre
ziehen*	tirer
Ziel (-e) (das)	but
Zimmer (-) (das)	chambre, pièce
zuerst	d'abord, en premier
zufrieden	satisfait, e
Zug (¨e) (der)	train
Zugabe (-n) (die)	supplément, bis
zuhören (+ dat.)	écouter
zukommen lassen	faire parvenir
Zukunft (die)	avenir
zurück	(refaire le chemin inverse), en arrière, de retour
zurückfahren	revenir
zusammen	ensemble
zusammenbringen*	rassembler, réunir
Zusammenfluss (¨e) (der)	confluent
zuverlässig	sérieux, euse, digne de confiance
zweit (zu)	à deux
Zwillingsbruder (¨) / Zwillingsschwester (-n) (der/die)	jumeau, jumelle
zwischen (+ acc./dat.)	entre

a

à bientôt	bis bald
à côté	neben (+ acc./dat.)
à deux	zu zweit
à nouveau	nochmals
à partir de	ab
à proximité, près de	in der Nähe von
absolument	unbedingt
absurde	sinnlos
accident	Unfall (-̈e) (der)
accompagner	begleiten, *mit*kommen*
accrocher / être accroché	hängen / hängen*
acheter	kaufen
acteur, trice	Schauspieler (-) / Schauspielerin (-nen) (der/die)
admirer, adorer	bewundern
adulte (l')	Erwachsene (-n) (der/die)
adulte (un)	Erwachsener (ein)
affaire	Sache (-n) (die)
affiche	Plakat (-e) (das)
affreux, euse	grässlich
âge	Alter (das)
agir	handeln
agréable	angenehm, gemütlich
aide	Hilfe (-n) (die)
aider	helfen* (+ dat.)
aimer	mögen*, lieben
aimer faire	gern tun*
air	Luft (-̈e) (die)
Allemagne	Deutschland
allemand, e	deutsch
Allemand, e (l')	Deutsche (-n) (der/die)
Allemand (un)	Deutscher (ein)
aller (à pied)	gehen*
aller (véhicule)	fahren*
aller chercher	holen
améliorer	verbessern
ami, e	Freund (-e) / Freundin (-nen) (der/die)
amical, e	freundlich
amitié	Freundschaft (-en) (die)
amour	Liebe (-n) (die)
amoureux, euse	verliebt
amusant, e	lustig, witzig
anglais, e	englisch
Anglais, e (l'/un, une)	Engländer (-) / Engländerin (-nen) (der/die)
Angleterre	England
animal	Tier (-e) (das)
année	Jahr (-e) (das)
anniversaire	Geburtstag (-) (der)
annonce (journal)	Anzeige (-n) (die)
appartement	Wohnung (-en) (die)
appartenir (à)	gehören (+ dat.)
appeler (quelqu'un)	rufen*
appeler (s')	heißen*
apporter	bringen*, *her*geben*
apprendre	lernen
apprendre (une nouvelle)	erfahren*
après	nach (+ dat.), danach, nachher
après-demain	übermorgen
argent	Geld (das)

arrêter (de faire qc)	*auf*hören
arrêter (véhicule)	halten*
arrivée, venue	Ankunft (die)
arriver	*an*kommen*
art	Kunst (die)
asseoir (s')	setzen, sich
assez (suffisant)	genug
attendre	warten (auf + acc.)
au-dessus de	über (+ acc./dat.)
au moins	mindestens
auberge de jeunesse	Jugendherberge (-n) (die)
aujourd'hui	heute
aussi	auch
aussitôt	sofort
autorisé, e	erlaubt
autrefois	früher
Autriche	Österreich
avant	vor, vorher
avant-hier	vorgestern
avantage	Vorteil (-e) (der)
avec	mit (+ dat.)
avenir	Zukunft (die)
avion	Flugzeug (-e) (das)
avis, opinion	Meinung (-en) (die)
avocat, e	Rechtsanwalt (-̈e) / Rechtsanwältin (-nen) (der/die)
avoir	haben*
avoir besoin (de)	brauchen (+ acc.)
avoir envie	Lust haben*
avoir l'air	*aus*sehen*
avoir le droit	dürfen*
avoir lieu	*statt*finden*
avoir l'intention	*vor*haben*

b

baigner (se)	baden
balade	Bummel (-) (der)
bateau	Schiff (-e) (das)
bâtiment	Gebäude (-) (das)
battre	schlagen*
beau, belle	schön
beaucoup	viel
bête	doof, dumm
bien	gut
bientôt	bald
bienvenu, e	willkommen
bizarre	komisch
blague	Witz (-e) (der)
boire	trinken*
boisson	Getränk (-e) (das)
bon (pour la santé)	gesund
bon marché	billig
bon, bonne	gut
bon, bonne (délicieux)	lecker
bouger	bewegen
boutique	Geschäft (-e) (das)
bricoler	basteln
briller	scheinen*
bruit	Geräusch (-e) (das), Lärm (der)
bruyant, e	laut
bus	Bus (-se) (der)
but	Ziel (-e) (das)

c

cadeau	Geschenk (-e) (das)
café (boisson)	Kaffee (der)
cahier	Heft (-e) (das)
calculer	rechnen
calme	still, ruhig
camper	zelten
canapé	Sofa (-s) (das)
carrefour	Kreuzung (-en) (die)
carte	Karte (-n) (die)
carte (géographique)	Landkarte (-n) (die)
cassé, e	kaputt
célèbre	berühmt
centre	Zentrum (-tren) (das)
centre commercial	Einkaufszentrum (das)
centre-ville	Innenstadt (-̈e) (die), Stadtzentrum (das)
certainement	bestimmt
chambre	Zimmer (-) (das)
chance	Glück (das)
changer, modifier	ändern
changer (de train)	*um*steigen*
chanson	Lied (-er) (das)
chant	Gesang (-̈e) (der)
chanter	singen*
chaque	jede (r, s)
château	Schloss (-̈er) (das)
chaud, e	warm
chaussette	Socke (-n) (die)
chaussure	Schuh (-e) (der)
chemise	Hemd (-en) (das)
cher, chère (prix)	teuer
chercher	suchen
cheval	Pferd (-e) (das)
choisir	wählen, *aus*wählen
choix, élection	Wahl (-en) (die)
chose	Ding (-e) (das), Sache (-n) (die)
cinéma	Kino (-s) (das)
clair, e (évident)	klar
classe	Klasse (-n) (die)
coiffeur, euse	Friseur (-e) / Friseurin (-nen) (der/die)
collectionner	sammeln
coller	kleben
combattre (pour/contre qc)	kämpfen (für/gegen + acc.)
commencer	*an*fangen*, beginnen*
commun, e	gemeinsam
comparer	vergleichen*
comprendre	verstehen*
compte-rendu, rapport	Bericht (-e) (der)
compter	zählen
confiance	Vertrauen (das)
connaître	kennen*
connu, e	bekannt
conseil	Tipp (-s) (der), Rat (-̈schläge) (der)
conseiller	raten*, beraten*
consoler	trösten
construction	Bau (-ten) (der)
construire	bauen
conte	Märchen (-) (das)
content, e	froh
contre	gegen (+ acc.)
convaincre	überzeugen

convenir	passen
conversation	Gespräch (-e) (das)
correct, e	richtig
correspondant, e	Austauschpartner (-) / Austauschpartnerin (-nen) (der/die)
couleur	Farbe (-n) (die)
courageux, euse	mutig
courir	laufen*
cours	Kurs (-e) (der), Unterrichtsstunde (-n) (die), Unterricht (der)
court, e	kurz
coûter	kosten
créer	kreieren
crier	schreien*
croire	glauben
cuire (au four)	backen
cuisine	Küche (-n) (die)
cuisiner	kochen
curieux, euse	neugierig

d

dangereux, euse	gefährlich
de nouveau	wieder
décider (se)	entscheiden* (sich)
découvrir	entdecken
décrire	beschreiben*
déçu, e	enttäuscht
dehors	draußen
déjà	schon
demain	morgen
demander (poser une question)	fragen
déménager	umziehen*
départ	Abfahrt (die)
dépenser	ausgeben*
depuis	seit (+ dat.)
déranger	stören
dernier, ière	letzt-
derrière	hinten, dahinter
descendre (d'un véhicule)	aussteigen*
dessiner	zeichnen
détester	hassen
devant	vor (+ acc./dat.)
devenir	werden*
devoir	müssen*
devoir (obligation)	Pflicht (-en) (die)
devoir (mission)	Aufgabe (-n) (die)
dévorer	fressen*
différencier	unterscheiden*
différent, e	unterschiedlich, verschieden
difficile	schwierig, schwer
dire	sagen
discuter	diskutieren
disparaître	verschwinden*
dispute	Streit (-e) (der)
disputer (se)	streiten* (sich)
dommage	schade
donner	geben*, hergeben*
dormir	schlafen*
d'où (origine)	woher
droit (le)	Recht (das)
droite (à)	rechts
drôle	lustig
durer	dauern

e

eau	Wasser (das)
échange	Austausch (-e) (der)
école	Schule (-n) (die)
écologique	ökologisch

écouter	zuhören (+ dat.)
écrire	schreiben*
effrayant, e	gruselig
élève	Schüler (-) / Schülerin (-nen) (der/die)
éloigné, e, distant, e	entfernt
émission	Sendung (-en) (die)
emmener	mitnehmen*
emploi du temps	Stundenplan (-e) (der)
emprunter	ausleihen*
en bas	unten
en bonne santé	gesund
en effet	in der Tat
en fait (à vrai dire)	eigentlich
en forme	fit
en outre	außerdem
encore	noch
endormir (s')	einschlafen*
énerver (s')	aufregen (sich)
enfance	Kindheit (die)
enfant	Kind (-er) (das)
enfin	endlich, schließlich
ennuyeux, euse	langweilig
enseigner (qc à qn)	beibringen*
ensemble	zusammen
ensuite	dann, danach
entendre	hören
enthousiaste	begeistert
entraîner (s')	trainieren
entre	zwischen (+ acc./dat.)
entrée (porte, pièce)	Eingang (-e) (der)
entreprendre	unternehmen*
entreprise	Firma (-men) (die), Unternehmen (-) (das)
envie	Lust (-e) (die)
environ	ungefähr
envoyer	schicken
épeler	buchstabieren
épuisé, e	erschöpft
équipe	Mannschaft (-en) (die)
escalader	klettern
espace	Raum (-e) (der)
espace vert	Grünfläche (-n) (die)
espagnol, e	spanisch
Espagnol, e	Spanier (-) / Spanierin (-nen) (der/die)
espérer	hoffen
espoir	Hoffnung (-en) (die)
essayer (de faire qc)	versuchen
essayer (goûter)	probieren
essence	Benzin (das)
est	Osten (der)
etc.	usw.
étonnant, e	erstaunlich
étonner (s')	wundern (sich) (über + acc.)
étranger (l') (pays)	Ausland (das)
étranger, ère (l') (personne)	Ausländer (-) / Ausländerin (-nen) (der/die)
être	sein*
être assis	sitzen*
être bon (avoir bon goût)	schmecken
être couché	liegen*
être d'accord	einverstanden sein
être debout	stehen*
être exact	stimmen
études	Studium (das)
étudier	studieren
événement	Ereignis (-se) (das)
excursion	Ausflug (-e) (der)

exemple	Beispiel (-e) (das)
exercer (s')	üben
exercice	Übung (-en) (die)
expérience (vécue)	Erlebnis (-se) (das)
expliquer	erklären
extrait	Auszug (-e) (der)
extraordinaire	wunderbar

f

fâcher (se)	ärgern (sich)
facile	einfach, unkompliziert, leicht
faim	Hunger (der)
faire	machen, tun*
faire attention	aufpassen
faire connaissance	kennen lernen
faire de la randonnée	wandern
faire de la voile	segeln
faire du cheval	reiten*
faire du ski	Ski laufen*
faire du sport	Sport treiben*
faire du vélo	Rad fahren*
faire les courses	einkaufen
faire mal	wehtun*
faire sa valise	einpacken
famille	Familie (-n) (die)
fatigué, e	müde
faux, fausse	falsch
femme	Frau (-en) (die)
fête	Fest (-e) (das), Party (-s) (die)
fêter	feiern
fille	Mädchen (-) (das), Tochter (-) (die)
film	Film (-e) (der)
fils	Sohn (-e) (der)
fin (la)	Ende (das)
finir	enden
fois	Mal (-e) (das)
fondation	Gründung (-en) (die)
fonder	gründen
forêt	Wald (-er) (der)
formation	Schulung (-en) (die), Ausbildung (-en) (die)
fort, e	stark
fort, e (bruyant)	laut
fou, folle	verrückt
français, e	französisch
Français, e (le/la)	Franzose (-n) / Französin (-nen) (der/die)
France	Frankreich
frapper	schlagen*
frère	Bruder (-) (der)
frères et sœurs	Geschwister (pl.) (die)
fringues	Klamotten (pl.) (die)
froid, e	kalt
frontière	Grenze (-n) (die)
fruits	Obst (das)
fuir	fliehen*

g

gagner (à un jeu)	gewinnen*
garçon	Junge (-n) (der)
garder (enfants)	Kinder hüten
gare	Bahnhof (-e) (der)
gauche (à)	links
geler	frieren*
gens	Leute (pl.) (die)
gentil, ille (agréable)	nett
glacier	Eisdiele (-n) (die)
goûter	probieren
gouvernement	Regierung (-en) (die)
grandir	aufwachsen*

grand, e	groß
grands-parents	Großeltern (pl.) (die)
grave	schlimm
gronder qn	*aus*schimpfen
gros, grosse	dick
guerre	Krieg (-e) (der)
guichet	Schalter (-) (der)
guide (personne)	Führer (-) / Führerin (-nen) (der/die)

habile	geschickt
habitant, e	Einwohner (-) / Einwohnerin (-nen) (der/die)
habiter	wohnen
habituel, elle / habituellement	gewöhnlich
haut, e	hoch
heure (durée)	Stunde (-n) (die)
heure (indication horaire)	Uhr (die)
heureux, euse	glücklich
hier	gestern
histoire	Geschichte (-n) (die)
homme	Mann (¨er) (der)
horrible	schrecklich

ici	hier
idiot, e	doof
il y a	es gibt* (+ acc.)
île	Insel (-n) (die)
image	Bild (-er) (das)
imagination	Fantasie (-n) (die)
impatient, e	gespannt, ungeduldig
important, e	wichtig
impossible	unmöglich
impressionnant, e	beeindruckend
incroyable	unglaublich
inégalité	Ungerechtigkeit (-en) (die)
infirmière	Krankenschwester (-n) (die)
informer (s')	informieren (sich) (über + acc.)
inoubliable	unvergesslich
inscrire (s')	*an*melden (sich)
instruire (s')	bilden (sich)
instruit, e	gebildet
interdiction	Verbot (-e) (das)
interdit, e	verboten
intéresser (s')	interessieren (sich) (für + acc.)
interroger qn	fragen, befragen (+ acc.)
inventer	erfinden*
inviter	*ein*laden*

jamais	nie/niemals
jardin	Garten (¨) (der)
jeter	werfen*
jeu	Spiel (-e) (das)
jeune	jung
jeune (le/la)	Jugendliche (-n) (der/die)
jeune (un)	Jugendlicher (ein)
jeunesse	Jugend (die)
joli, e	hübsch
jouer	spielen
jour	Tag (-e) (der)
journal	Zeitung (-en) (die)
jumeau, jumelle	Zwillingsbruder (¨) / Zwillingsschwester (-n) (der/die)
jusqu'à	bis

là	da
la plupart	die meisten
là-bas	dort
lac	See (-n) (der)
laid, e	hässlich
laisser	lassen*
langue	Sprache (-n) (die)
langue étrangère	Fremdsprache (-n) (die)
laver	waschen*
lent, e / lentement	langsam
lequel, laquelle, quel, quelle	welcher, e, es
les deux (tous)	beide
lettre	Brief (-e) (der)
lever (se)	*auf*stehen*
libre	frei
lieu	Ort (-e) (der)
lieu (de rendez-vous)	Treffpunkt (-e) (der)
lire	lesen*
lit	Bett (-en) (das)
livre	Buch (¨er) (das)
loin	weit
long, longue	lang
lourd, e	schwer
lycée	Gymnasium (-sien) (das)

magasin	Geschäft (-e) (das), Laden (¨) (der)
magazine, revue	Zeitschrift (-en) (die)
maintenant	jetzt, nun
maire	Bürgermeister (-) / Bürgermeisterin (-nen) (der/die)
mais	aber
maison	Haus (¨er) (das)
malade	krank
manger	essen*
marcher (aller à pied)	zu Fuß gehen*
marié, e	verheiratet
match	Spiel (-e) (das)
mauvais, e	schlecht
méchant, e	böse
meilleur, e (le/la)	Beste (der/das/die)
meilleur, e	besser
merci (beaucoup)	danke (schön/sehr)
métier	Beruf (-e) (der)
mettre (poser)	stellen
mieux	besser
mieux (le)	Beste (das)
mignon, onne	süß
milieu	Mitte (-n) (die)
mois	Monat (-e) (der)
monde	Welt (-en) (die)
monter	steigen*
montre	Uhr (-en) (die)
montrer	zeigen
mot	Wort (¨er) (das), Vokabel (-n) (die)
mur	Mauer (-n) (die), Wand (¨e) (die)

naissance	Geburt (-en) (die)
naître	geboren werden*
nature	Natur (-en) (die)
naturellement	natürlich
néanmoins	trotzdem
neiger	schneien
nerveux, euse	nervös
nom	Name (-n) (der)

nombre	Zahl (-en) (die)
nommer	nennen*
nouveau, elle	neu
nouvelle (information)	Nachricht (-en) (die)
nuit	Nacht (¨e) (die)
numéro	Nummer (-n) (die)

occuper (s') (de)	sich kümmern (um + acc.)
offrir	schenken
ordinateur	Computer (-) (der)
origine	Herkunft (die)
où (direction)	wohin
oublier	vergessen*
ouvert, e	geöffnet, offen
ouverture	Eröffnung (-en) (die)

page	Seite (-n) (die)
parce que	weil
Pardon !	Entschuldigung!
pareil, eille	gleich, ähnlich
parents	Eltern (pl.) (die)
parfois	manchmal
parler	sprechen*
participer à qc	*teil*nehmen (an + dat.), *mit*machen
particulièrement	besonders
partir	*ab*fahren*
passager, voyageur	Fahrgast (¨e) (der)
passer (un moment/ du temps)	verbringen*
passer (se) (arriver)	passieren, geschehen*
passionnant, e	spannend
patient, e	geduldig
pauvre	arm
payer	bezahlen, zahlen
pays	Land (¨er) (das)
peindre	malen
peintre	Maler (-) / Malerin (-nen) (der/die)
pendant	während
pénible	anstrengend
penser (à)	denken* (an + acc.)
penser (croire)	meinen
perdre	verlieren*
père	Vater (¨) (der)
personne	niemand
personne (la)	Mensch (-en) (der), Person (-en) (die)
petit déjeuner	Frühstück (-e) (das)
petit, e	klein
petit-fils / petite-fille	Enkel (-) / Enkelin (-nen) (der/die)
peu	wenig
peuple	Volk (¨er) (das)
peur	Angst (¨e) (die)
peut-être	vielleicht
pièce (salle)	Raum (¨e) (der)
place	Platz (¨e) der
plage	Strand (¨e) (der)
plaire	gefallen* (+ dat.)
pleurer	weinen
pleuvoir	regnen
plus	mehr
polar	Krimi (-s) (der)
ponctuel, elle	pünktlich
porter	tragen*
poser une question	eine Frage stellen, fragen
possibilité	Möglichkeit (-en) (die)
possible	möglich

pour	für (+ acc.)
pourquoi	warum
pouvoir	können*
pratique	praktisch
préféré, e	Lieblings-
prendre	nehmen*
prendre part à	teilnehmen* (an + dat.)
prénom	Vorname (-n) (der)
préparer	vorbereiten
près	nah, nahe
présenter (se)	vorstellen (sich)
presque	fast
prêt, e	bereit
prêter	leihen*
prix	Preis (-e) (der)
problème	Problem (-e) (das)
prochain, e	nächst-
professeur	Lehrer (-) / Lehrerin (-nen) (der/die)
promenade	Spaziergang (-̈e) (der)
promener (se)	spazieren gehen*
proposer	vorschlagen*
propre	sauber
prudent, e	vorsichtig
public	Publikum (das)

quart	Viertel (-) (das)
quartier (ville)	Stadtteil (-e) (der)
quelque chose	etwas
quelques	ein paar, einige
quelqu'un	jemand
question	Frage (-n) (die)
questionner	fragen (+ acc.)
quitter (abandonner)	verlassen*
quoi	was
quotidien, ne	täglich
quotidien	Alltag (der)

raccrocher	auflegen
raconter	erzählen
ranger	aufräumen
rapide	schnell
rassembler (documents/objets)	sammeln
réaliser (concrétiser)	verwirklichen
réaliser (faire)	erstellen
recevoir	bekommen*
reconnaître	erkennen*
récréation	Pause (-n) (die)
réellement	wirklich
regarder	schauen, anschauen, gucken
regarder la télévision	fernsehen*
regretter	leidtun*
réjouir (se)	freuen (sich) (auf + acc.)
remarquer	merken
remercier	danken (+ dat.)
rencontrer	begegnen (+ dat.)
rencontrer (se)	treffen* (sich)
rendez-vous	Termin (-e) (der)
rendre visite	besuchen (+ acc.)
renseignement	Auskunft (-̈e) (die)
répéter	wiederholen
répondre	antworten
réponse	Antwort (-en) (die)
résoudre	lösen
ressembler (se)	ähnlich sehen (sich)

rester	bleiben*
résultat	Ergebnis (-se) (das)
retard	Verspätung (-en) (die)
réussir	schaffen
rêve	Traum (-̈e) (der)
réveiller (se)	aufwachen
rêver	träumen
revoir	wiedersehen*
riche	reich
rien	nichts
rire	lachen
robe	Kleid (-er) (das)
rue	Straße (-n) (die)

sac	Tasche (-n) (die)
sale	schmutzig
salir	beschmutzen
saluer	grüßen
sans	ohne (+ acc.)
satisfait, e	zufrieden
savoir	wissen*
secret	Geheimnis (-se) (das)
semaine	Woche (-n) (die)
semblable	gleich
sentir (se)	fühlen (sich)
sérieux, euse	ernst, zuverlässig
seul, e	allein
seulement (quantitatif)	nur
seulement (temporel)	erst
sévère	streng
signifier	bedeuten
s'il te/vous plaît	bitte
silencieux, euse	still
simple	einfach
sinon	sonst
sœur	Schwester (-n) (die)
soigner	pflegen
soigneur, euse (animaux)	Tierpfleger (-) / Tierpflegerin (-nen) (der/die)
soir	Abend (-e) (der)
sondage, enquête	Umfrage (-n) (die)
sortir	ausgehen*
souci	Sorge (-n) (die)
souhait	Wunsch (-̈e) (der)
souhaiter	wünschen
sourire	lächeln
sous	unter (+ acc./dat.)
souvenir (se)	erinnern (sich)
souvent	oft
sportif, ve (le/la)	Sportler (-) / Sportlerin (-nen) (der/die)
stage	Praktikum (-ka) (das)
stupide	blöd
succès	Erfolg (-e) (der)
sucré, e	süß
Suisse (la)	Schweiz (die)
Suisse, Suissesse	Schweizer (-) / Schweizerin (-nen) (der/die)
suivant, e	folgend
super	toll, prima
sûr, e	sicher
suspendre	hängen
sympathique	sympathisch

tableau (peinture)	Gemälde (das)
tard	spät
téléphone portable	Handy (-s) (das)

téléphoner	anrufen* (+ acc.), telefonieren (mit + dat.)
temps (qui passe)	Zeit (-en) (die)
temps (qu'il fait)	Wetter (das)
temps libre	Freizeit (die)
tenir	halten*
terminé, e (passé)	vorbei
terminé, e (prêt)	fertig
timide	schüchtern
tirer	ziehen*
tomber	fallen*
tomber malade	erkranken
tôt	früh
toujours	immer
tout (complètement)	ganz
traduire	übersetzen
train	Zug (-̈e) (der)
tramway	Straßenbahn (-en) (die)
travail	Arbeit (-en) (die)
travailler	arbeiten
très	sehr
triste	traurig
trouver	finden*
trouver (se)	befinden*, sich
trouver (se) (quelque part)	stehen*

un peu	ein bisschen
une fois	einmal
univers	Weltall (das)
utiliser	benutzen

vacances	Ferien (pl.) (die)
valise	Koffer (-) (der)
vélo	Fahrrad (-̈er) (das)
vendre	verkaufen
venir	kommen*
vérité	Wahrheit (-en) (die)
vêtements (tenue)	Kleidung (pl.) (die)
vétérinaire	Tierarzt (-̈e) / Tierärztin (-nen) (der/die)
vie	Leben (-) (das)
vieux, vieille	alt
village	Dorf (-̈er) (das)
ville	Stadt (-̈e) (die)
visiter (monument, lieu)	besichtigen
vite	schnell
vivant, e	lebendig
vivre	leben
voie	Gleis (-e) (das)
voir	sehen*
voiture	Auto (-s) (das)
voler (dans les airs)	fliegen*
volontiers	gern
voisin, e	Nachbar (-n) / Nachbarin (-nen) (der/die)
vouloir	wollen*
vouloir (souhaiter)	mögen*
voyage	Reise (-n) (die)
voyager	reisen
vraiment	wirklich, echt

week-end	Wochenende (-en) (das)

N° Editeur : 10206617
Dépôt légal : juin 2014
Imprimé en France par Loire Offset Titou

Crédits photographiques